# 미용성형

성형외과 개업의 및
간호사를 위한

# 성형매뉴얼

STANDARD FIELD MANUAL FOR
## COSMETIC PLASTIC SURGERY

저자 **박제연**

미 용 성 형 ━
성형외과 개업의 및
간 호 사 를 위 한
# 성형매뉴얼

초판 인쇄 | 2019년 10월 04일
초판 발행 | 2019년 10월 14일

**지 은 이**　　박제연
**발 행 인**　　장주연
**출 판 기 획**　　이성재
**책 임 편 집**　　박미애
**편집디자인**　　주은미
**표지디자인**　　김재욱
**발 행 처**　　군자출판사(주)
　　　　　　　등록 제 4-139호(1991. 6. 24)
　　　　　　　본사 (10881) 파주출판단지 경기도 파주시 서패동 474-1(회동길 338)
　　　　　　　Tel. (031) 943-1888　　Fax. (031) 955-9545
　　　　　　　홈페이지 | www.koonja.co.kr

ISBN  979-11-5955-454-4
정가  30,000원

# 미용성형 —

## 성형외과 개업의 및
## 간호사를 위한

# 성형매뉴얼

STANDARD FIELD MANUAL FOR
COSMETIC PLASTIC SURGERY

| 약력 |

# 박 제 연 Park Jae Yeon

성형외과전문의
연세대학교 의과대학 및 의과대학원 졸업
신촌세브란스병원 임상자문의 및 외래교수
신촌세브란스병원 인턴
신촌세브란스병원 성형외과 레지던트
연세J성형외과 원장
미국의사시험 USMLE 합격
미국 UPMC (UNIVERISTY OF PITTSBURGH MEDICAL CENTER) 성형외과 연수
미국 FLORIDA DR JAMES STUZIN 연수
대한성형외과학회 정회원
대한미용성형외과학회정회원 및 2018 최우수회원
SBS CNBC 김경란의 비즈인사이드 코성형부문 방송
MBN 황금알 117회 방송
KHMA (KOREA HEALTH AND MEDICAL AWARD)
보건복지부 후원 헬럴드경제 및 헤럴드코리아 주최
성형외과 부분 시상식 대상수상

# 서문

  본 책은 미용 의원이나 미용 성형외과를 처음으로 개원하는 초보 의사, 간호사 등 의료인 직원이 알고 있어야할 기본적인 내용 및 수술 기계, 소모품, 수술 후 환자 치료 및 관리 등에 대해 기술하였다. 저자는 미용 성형외과에서 가장 많이 시행되는 수술을 중심으로 수록하여 병원이나 의원이 본 책을 기본 지침서 혹은 매뉴얼로 표준화 객관화 및 효율의 증대를 위해 도움이 되었으면 한다.

2019년 4월

성형외과 전문의

**박 제 연**

# Contents

# 환자 동의서
(Patient Consent Form)

환자 동의서는 모든 시술 및 수술 전 반드시 있어야 한다.
환자가 수술방 들어오면 수술 시작 전 check 하고 없으면 먼저 받도록 한다.

다음은 환자 공정거래위원회에서 나온 표준 동의서이므로 참고해서 수술 동의서를 환자로부터 받으면 된다.

| 등록번호 | |
| --- | --- |
| 성 명 | |

□ 수술
□ 시술
□ 검사
□ 마취
□ 의식하진정

# 동 의 서

공정거래위원회

표준약관 제10003호
(2009. 12. 18. 개정)

## 1. 환자의 현재 상태 (검사결과 및 환자의 고지에 따라 유/무/미상으로 나누어 기재)

| 진단명 | | | |
| --- | --- | --- | --- |
| 수술, 시술, 검사명 | | | |
| 주치의 | | | |
| 시행예정일 | | | |
| 기왕력<br>(질병·상해 전력) | | 알레르기 | |
| 특이체질 | | 당뇨병 | |
| 고 · 저혈압 | | 마약사고 | |
| 복용약물 | | 기도이상 유무 | |
| 흡연여부 | | 출혈소인 | |
| 심장질환<br>(심근경색증 등) | | 호흡기질환<br>(기침·가래 등) | |
| 신장질환<br>(부종 등) | | 기타 | |

## 2. 설명사항

★ 각 항목의 구체적인 내용은 수술·시술·검사의 특성에 따라 개별적으로 기재할 수 있습니다.

★ 개별적 기재 내용 중 중요한 사항에 대하여는 굵은 글씨로 표시하거나 밑줄을 그어
  강조하는 것이 바람직합니다.

## 가. 수술(시술 · 검사)의 경우 설명사항

① 수술(시술 · 검사)의 목적 및 효과

② 수술과정 및 방법, 수술(시술 · 검사)부위 및 추정 소요시간

③ 발현가능한 합병증(후유증)의 내용, 정도 및 대처방법

④ 수술(시술 · 검사)관련 주의 사항(수술 후 건강관리에 필요한 사항)

| 등록번호 | |
|---|---|
| 성 명 | |

⑤ 수술(시술·검사)방법 변경 및 수술 범위 추가 가능성

**수술(시술·검사)과정에서 환자의 상태에 따라 부득이하게 수술(시술·검사)방법이 변경되거나 수술범위가 추가될 수 있습니다.** 다만, 이에 따라 환자 또는 대리인에게 추가로 설명하여야 하는 사항이 있는 경우 수술(시술·검사)을 시행하기 전에 이에 대하여 설명하고 동의를 얻기로 합니다.

⑥ 기타사항

**나. 의식하진정의 경우 설명사항**

① 의식하진정의 목적 및 효과

진정제를 투여하여 환자를 어느 정도 진정상태에 도달하게 한 후 검사(시술)를 함으로써 검사(시술)에 따르는 불편함을 경감시켜주는 효과가 있습니다. 그러나 환자를 마취한 상태로 하는 검사(시술)는 아니며 환자의 협조가 가능한 진정 상태에서 검사(시술)를 합니다.

② 발현가능한 합병증(후유증)의 내용, 정도 및 대처방법

**환자의 상태에 따라서는 적정량의 약제를 사용하였음에도 불구하고 수면이나 적정한 정도의 진정상태에 도달하지 못하거나 오히려 환자의 협조도가 낮아져 검사(시술) 자체가 어려워지는 수도 있습니다.**

부작용은 호흡곤란 및 저산소증과 같은 호흡기계 합병증, 맥박이 빨라지는 등의 심혈관계 합병증, 낙상 등이 발생할 수 있으나 대개는 특별한 조치 없이 좋아집니다. 그러나 **드물지만 호흡과 심장이 정지되어 생명이 위협받는 경우가 하며 과민 반응에 의한 응급조치가 필요한 경우도 있습니다. 호흡기 질환으로 폐기능에 장애가 있거나, 신장이나 심장질환이 있는 경우에는 주의를 요합니다.**

③ 의식하진정시 주의 사항

**의식하진정 후에는 완전한 회복을 위하여 안정이 필요하며 검사 당일에는 운전을 하지 말아야 하고 중요한 약속이나 업무는 피해야 합니다.**

- 2 -

3

| 등록번호 | |
|---|---|
| 성 명 | |

**다. 마취의 경우 설명사항**

① 현 환자상태에 적합한 마취방법

　　□ 전신마취　□ 척추마취　□ 국소마취(마취부위 : _____)　□ 기타

② 발현가능한 부작용(후유증)의 내용, 정도 및 대처방법

③ 마취 방법의 변경 가능성

　　**수술 준비 중 환자의 상태에 따라 부득이하게 마취방법이 변경될 수 있습니다. 다만, 이에 따라 환자 또는 대리인에게 추가로 설명하여야 하는 사항이 있는 경우 수술을 시행하기 전에 이에 대하여 설명하고 동의를 얻기로 합니다.**

④ 기타 사항 (예시 : 환자가 특별히 원하는 마취방법의 위험성)

　　　　　　　　　　　　설 명 의 사 : _____ (서명 또는 날인)
　　　　　　　　　　　　설 명 의 사 : _____ (서명 또는 날인)

**\*　　　의사가 마취에 관한 사항을 별도로 설명하는 등 설명의사가 여럿일 경우 설명한 부분을 특정하여 각자 서명 또는 기명·날인할 수 있습니다.**

본인은 본인(또는 환자)에 대한 수술(시술, 검사, 마취, 의식하진정)의 목적 및 효과, 과정, 예상되는 합병증, 후유증 등에 대한 설명(필요시 별지 포함)을 의사로부터 들었으며, 본 수술(시술, 검사, 마취, 의식하진정)로서 **불가항력적으로 야기될 수 있는 합병증 또는 환자의 특이체질로 예상치 못한 사고가 일어날 수도 있다는 것을 사전 설명으로 충분히 이해**하며 수술(시술, 검사, 마취, 의식하진정)에 협력할 것을 서약하고, **본 동의서 제1조의 '환자의 현재상태'에 대해 성실히 고지**하며 이에 따른 의학적 처리를 주치의 판단에 위임하여 수술(시술, 검사, 마취, 의식하진정)을 하는데 동의합니다.

| 2 0 　년　　월　　일　　시　　분 |
|---|

**환 자 명 :**　　　　　　　(서명 또는 날인)
주민등록번호 :　　　　　　　　전화 :
주　　　소 :

| 등록번호 | |
|---|---|
| 성 명 | |

**대리인(환자의            ) :**            (서명 또는 날인)
주민등록번호 :            전화 :
주      소 :

★ 대리인이 서명하게 된 사유
　□ 환자의 신체·정신적 장애로 인하여 약정 내용에 대하여 이해하지 못함
　□ 미성년자로서 약정 내용에 대하여 이해하지 못함
　□ 설명하는 것이 환자의 심신에 중대한 나쁜 영향을 미칠 것이 명백함
　□ 환자 본인이 승낙에 관한 권한을 특정인에게 위임함
　　(이 경우 별도의 위임계약서를 본 동의서에 첨부하여야 합니다)
　□ 기타 _____

★ 의사의 상세한 설명은 이면지 또는 별지를 사용할 수 있으며(본 동의서에 첨부) 환자
(또는 대리인)가 본 동의서 사본을 원하는 경우 이를 교부합니다.

★ 수술(검사, 시술) 후 보다 정확한 진단을 위하여 추가로 특수 검사를 시행할 수 있
으며, 이 경우 추가비용을 지불할 수 있습니다.

_____병 원 ( 의 원 ) 장   귀 하

# 02
## 사진
(Photgraph)

환자 사진은 모든 시술 및 수술 전 반드시 있어야 한다.

수술에 따라 컷(cut) 수 및 촬영 각도가 다르다.

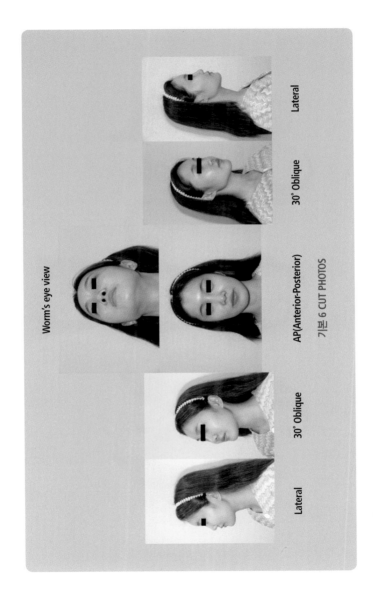

Worm's eye view

Lateral　　30° Oblique　　AP(Anterior-Posterior)　　30° Oblique　　Lateral

기본 6 CUT PHOTOS

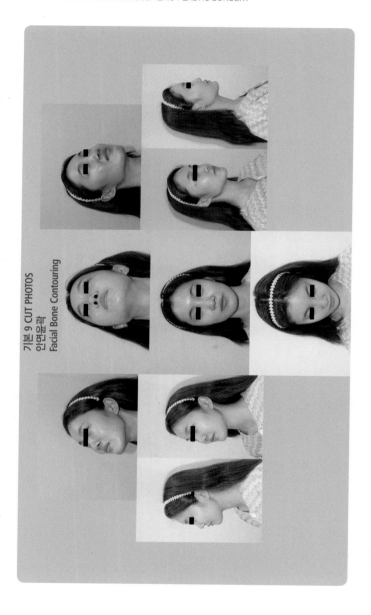

기본 9 CUT PHOTOS
안면윤곽
Facial Bone Contouring

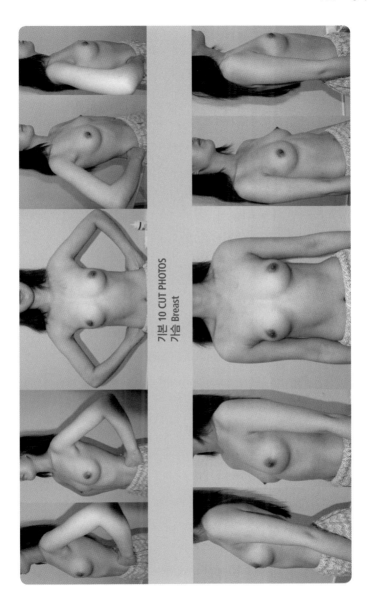

## 1 환자 수술 전 사진

### 1) 안면부(face) 7컷

(1) 정면 AP (anterior posterior)

(2) 위를 보고 고개 위로(worm's eye view)

(3) 아래를 보고 고개 아래로(downward gaze view)

(4) 30도 측면 좌(oblique view, Lt)

(5) 30도 측면 우(oblique view, Rt)

(6) 90도 측면 좌(true lateral, Lt)

(7) 90도 측면 우(ture lateral, Rt)

### 2) 눈(eyes) 8컷

(1) 정면 AP (anterior posterior)

(2) 정면 AP (anterior posterior) 눈감고(eyes closed)

(3) 위를 보고 고개 위로(worm's eye view)

(4) 아래를 보고 고개 아래로(downward gaze view)

(5) 30도 측면 좌(oblique view, Lt)

(6) 30도 측면 우(oblique view, Rt)

(7) 90도 측면 좌(true lateral, Lt)

(8) 90도 측면 우(ture lateral, Rt)

### 3) 코(nose) 7컷

(1) 정면 AP (anterior posterior)

(2) 위를 보고 고개 위로(worm's eye view)

(3) 아래를 보고 고개 아래로(downward gaze view)

(4) 30도 측면 좌(oblique view, Lt)

(5) 30도 측면 우(oblique view, Rt)

(6) 90도 측면 좌(true lateral, Lt)

(7) 90도 측면 우(ture lateral, Rt)

## 4) 안면거상 12컷: 기본 7컷 + 안면신경(facial nerve) 검사(check) 5컷

(1) 정면 AP (anterior posterior)

(2) 위를 보고 고개 위로(worm's eye view)

(3) 아래를 보고 고개 아래(downward gaze view)

(4) 30도 측면 좌(oblique view, Lt)

(5) 30도 측면 우(oblique view, Rt)

(6) 90도 측면 좌(true lateral, Lt)

(7) 90도 측면 우(ture lateral, Rt)

(8) 이마 주름 만들고

(9) 눈 꽉 감고

(10) 콧볼 힘줘서

(11) 입술 "이"하고

(12) 입술 "오"하고

## 5) 가슴(breast) 10컷: 5컷 차렷 자세 + 5컷 열중쉬어 자세

(1) 정면 AP (anterior posterior)

(2) 30도 측면 좌(oblique view, Lt) 차렷 자세

(3) 30도 측면 우(oblique view, Rt) 차렷 자세

(4) 90도 측면 좌(true lateral, Lt) 차렷 자세

(5) 90도 측면 우(ture lateral, Rt) 차렷 자세

(6) 정면 AP (anterior posterior) 열중쉬어 자세

(7) 30도 측면 좌(oblique view, Lt) 열중쉬어 자세

(8) 30도 측면 우(oblique view, Rt) 열중쉬어 자세

(9) 90도 측면 좌(true lateral, Lt) 열중쉬어 자세

(10) 90도 측면 우(ture lateral, Rt) 열중쉬어 자세

6) **지방이식(graft) 및 안면윤곽(angle, zygoma) 15컷: 기본 5컷 + 얼굴 위로 젖히고 5컷 + 얼굴 아래로 숙이고 5컷**

(1) 정면 AP (Anterior Posterior)

(2) 30도 측면 좌(oblique view, Lt)

(3) 30도 측면 우(oblique view, Rt)

(4) 90도 측면 좌(true lateral, Lt)

(5) 90도 측면 우(ture lateral, Rt)

(6) 정면 AP (Anterior Posterior) 얼굴 위로 젖히고(worm's eye view)

(7) 30도 측면 좌(oblique view, Lt) 얼굴 위로 젖히고(worm's eye view)

(8) 30도 측면 우(oblique view, Rt) 얼굴 위로 젖히고(worm's eye view)

(9) 90도 측면 좌(true lateral, Lt) 얼굴 위로 젖히고(worm's eye view)

(10) 90도 측면 우(ture lateral, Rt) 얼굴 위로 젖히고 (Worm's eye view)

(11) 정면 AP (anterior posterior) 얼굴 아래로 숙이고(downward gaze view)

(12) 30도 측면 좌(oblique view, Lt) 얼굴 아래로 숙이고(downward gaze view)

(13) 30도 측면 우(oblique view, Rt) 얼굴 아래로 숙이고(downward gaze view)

(14) 90도 측면 좌(true lateral, Lt) 얼굴 아래로 숙이고(downward gaze view)

(15) 90도 측면 우(ture lateral, Rt) 얼굴 아래로 숙이고(downward gaze view)

7) **복부성형**(abdominoplasty) 7컷

   (1) 정면 AP (anterior posterior)

   (2) 30도 측면 좌(oblique view, Lt)

   (3) 30도 측면 우(oblique view, Rt)

   (4) 90도 측면 좌(true lateral, Lt)

   (5) 90도 측면 우(ture lateral, Rt)

   (6) 90도 측면 좌(true lateral, Lt) 앞으로 상체 45도 숙이고

   (7) 90도 측면 우(ture lateral, Rt) 앞으로 상체 45도 숙이고

## 2   환자 수술 후 사진

기본적으로 전 사진과 동일하지만 여러 번에 걸쳐 찍는다.

POD #1, 5, 14, 30, 60, 90

# 03
## 수술방 들어오자마자 할 것

1. 기계 모두 check
   1) 석션기(suction unit) 필요시 연결
   2) 보비 전기소작기(bovie electrocoagulator) 기계 확인, 환자 다리에 접지 연결
   3) 환자 감시장치(patient monitor)기계 확인
2. 환자 이름 확인, 수술 확인
3. 환자 혈압 BP check 및 기록
4. 수면 마취 시(sedative anesthesia)
   1) IV line 잡기, 수액 연결하기
   2) Mobinul IVH (IV shooting),
   3) 항생제 피부반응검사(antibiotics skin test)
   4) 환자
5. 보형물 확인
6. 수술 시작 시간 확인 및 기록

# 04
## 마취
### (Anesthesia)

일반적으로

Ampule은 유리병에 담겨서 1회성이다.

열 때 손조심을 해야 한다.

Vial은 유리병에 담겨서 적당량 용량을 측정하여 여러 번 사용이 가능하다.

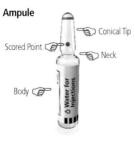

**Ampule**

Conical Tip

Scored Point

Neck

Body

◇ Water for Injections

출처: nursing-skills-guide.blogspot.com

## 3 　수면마취(Sedative anesthesia)

1) 공복시간 NPO (Non Per Os): 4시간

　　평소 혈압약이나 당뇨약 복용 시 종이컵 반 잔 정도나 한 모금의 약은
　　먹어도 된다.

2) 환자감시장치(patient monitor) 연결 및 팔 고정

　　무조건 우선 순위이다. Bionet BM5

　　BP (blood pressure), HR (heart rate), O2 Saturation이 측정된다.

　　BP: 120/80mmHg

　　HR: 60~100 정상. 간혹 운동을 습관적으로 많이 하는 환자는 HR이
　　40까지도 내려간다.

　　O2 saturation sensor는 손톱이나 발톱에 laser광선이 들어가도록 하고 고
　　정한다.

　　중요: O2 saturation은 70~100% 사이 구간만 의미가 있다(즉 68%나
　　20%는 정확하지 않은 계산 값이기 때문에 차이에 의미가 없다).

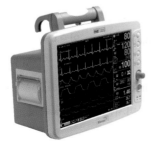

**Bionet BM5**

**MEK MP110P**

## 3) 환자 혈압(blood pressure)측정

상안검(UB) 하안검(LB) 수술, 안면거상(FL), 목거상(NL) 시 특히 중요하다. 혈종(hematoma)이 발생 하는 것을 막을 수 있기 때문이다. 또한 혈압이 높지 않아야 수술 중 출혈을 최소화할 수 있다. 때로는 환자가 평상시 혈압이 없으나 긴장되어 혈압이 상승하기도 한다(white coat syndrome). 이때는 진정제로 진정되면 감소할 수 있으나 너무 높을 경우 라베신(labetalol) 1A IVH할 수 있다. 지속적으로 상승되어 있는 경우 intraop에 long acting 혈압 강하제 하이드랄라진(hydralazine) 을 1A IVH 할 수 있다.

## 4) IV line 확보(securing IV (Intravenous line))

환자 vein(팔목오금 antecubital fossa, 손등, 발등 중 확보)

Breast 수술이나 팔의 이동이 자유로워야 할 경우 손등이나 팔목오금 AC (antecubital fossa)이 아닌 발등에서 확보한다.

22G angio catheter로 정맥에서 확보 후 line을 2~3번 곡선으로 만들어 종이 테이프로 고정.

3 way-valve 및 Extension 사용하여 1개는 IV fluid 수액에 1개는 syringe pump에 고정된 50 cc syringe (propofol로 채운)에 연결

IV line 확보 되자마자 수액을 full drip 후 side로 Mobinul 1A IVH (IV shooting).

이는 timing이 중요하다. 수면 마취 20분 전에 Mobinul이 들어가야 호흡기 기도 점막 분비물이 감소하여 원활한 호흡이 유지된다.

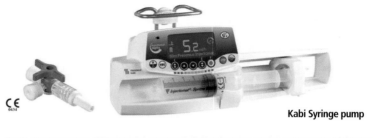

**Kabi Syringe pump**

Ketamine, Midazolam, Propofol은 반드시 사전에 환자감시(patient monitoring) 장치가 켜져 있고 감시될 때만 투약해야 한다.

또한 상기 약물은 사고를 예방하기 위해 SYRINGE로 재 놓으면 syringe 뒤에 name pen으로 바로 표기 해놓는 것이 좋다.

K: Ketamine, M: Midazolam, P: Propofol

Propofol(콩기름 base, 두유와 비슷)은 vial open하는 순간 부패하기 쉬우므로 수술 직전 여러 개를 미리 재 놓을 경우 사고의 위험이 있다.

K: Ketamine은 K

M: Midazolam은 M

P: Propofol은 P

진정제 투약은 모든 드렙(drape)이 끝나고 국소 마취 투약 직전까지는 하지 않는다.

진정제 투약 순서는 가급적 Ketamine, Midazolam, Propofol 순으로 준다. 또한 순차적으로 투약 시 중간 중간에 환자의 눈동자 및 환자 감시 장치, 외부 자극에 대한 반응 등을 살피면서 천천히 한다. 한꺼번에 주어서는 안 되며 같은 주사기에 섞어 한꺼번에 주어서도 절대 안 된다.

(1) Ketamine 수술 시작 전 투약 bolus injection (loading dose)

(2) Midazolam 수술 시작 전 투약 bolus injection (loading dose)

(3) Propofol  수술 시작 전 투약, bolus injection (loading dose), 이후 수술 유지를 위해 지속적 투약(syringe pump) (maintenance dose)

프로포폴(=우유주사)은 전신 마취에 비하여 빨리 수면이 유도되고 빨리 깰 수 있는 장점이 있으나 조심해야 한다.

## SEDATIVE PROTOCOL

| | | 눈, 안면거상, 목거상 | 지방 |
|---|---|---|---|
| | unit:cc | UB LB NI DI THREAD LIFT FACELIFT NECKLIFT | FAT GRAFT or Liposuction |
| loading dose | Ketamine | 0.3 | 0.4 |
| | Midazolam | 3 | 4 |
| | Propfol | 3 | 5 |
| maintenance dose cc/hour | Propfol | 30 | 40 |
| | O2 | none | none |
| | airway mouthpiece | YES | YES |
| | nasal airway | | |
| | Ventolin (asthma inhaler) | prep | prep |

| IV shooting | | | | |
|---|---|---|---|---|
| preop medications | Mobinul 1A | | | |
| intraop medications | DEXA | none, FACELIFT yes | | none |
| | Cafe | none | | none |
| | GM | none | | none |
| postop medications | Tranexamic acid 1A | none, FACELIFT yes | | none |
| | DEXA 1A | none | | none |
| if bleeding tendency | 1more 1A of Tranexamic acid | YES | | YES |
| | Vita K 1A | none | | none |
| | Vit C mix | none | | none |

| 코 | 가슴 | | 윤곽 턱광대 |
|---|---|---|---|
| AUGMENTATION RHINOPLASTY PARANASAL AUG c implant CHIN AUG c implant | BREAST AUGMENTATION | | FACIAL BONE CONTOURING |
| 0.5 | none | | |
| 5 | none | | GEA OR NASOTRACHEAL |
| 5 | 10 | for BREAST use mixture of Saline:Propfol = 1:1 | |
| 50 | 150-180 | | |
| none | 2L/min if needed | | |
| YES | YES | | |
| | | | |
| prep | prep | | |

| | | | |
|---|---|---|---|
| | | | |
| | | | |
| YES | YES | | |
| YES | YES | | |
| YES | YES | | |
| YES | YES | | |
| YES | YES | | |
| YES | YES | | |
| YES | YES | | |

Airway mouth piece, nasal airway, 산소, nasal prong or mask 준비

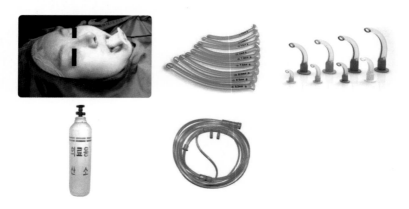

Ventolin 1ea MDI (metered dose inhaler) 기관지 확장제(bronchodilator) 평상시 준비
응급상황 혈액 산소포화도 감소 시 사용할 수 있다.

Suction、Suction Catheter 준비

## 4 전신마취(general endotracheal anesthesia, GEA)

**1) 공복시간 NPO (Non Per Os): 8시간**

안면윤곽수술 얼굴 뼈 수술(사각턱 절제술, 광대축소술) 할 경우 전신마취 가끔 Nasotracheal intubation 하기도 함. 코 수술과 같이 하는 경우 Oral intubation

마취과 전문의 연락(미리 수술 전날 연락)

전신마취 수술이 잡히면 마취과 선생님이 쓸 약 세보레인(sevoflurane) 이 있는지 전날 확인하고 없으면 주문, 타 병원으로부터 빌려서라도 확보한다. 전신마취는 가스마취뿐만 아니라 Propofol을 전신 마취 초기에 수면 유도를 위해 소량(약 20~50cc) 사용할 수 있다.

마취기 기화기(ventilator) + vaporizer

국산 Royal medical,

일본산 AIKA COMPACT 70

Titus, Fabius, Apollo Drager, GE (Datex Ohmeda) 등

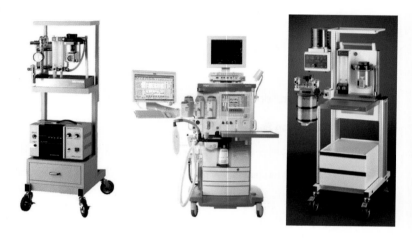

## 5 무통주사(patient controlled anesthesia, PCA)

보통 가슴수술, 복부 성형술, 안면윤곽수술 후 사용한다. 즉 통증이 많은 수술이다.

Ketorolac 6ea~10ea, NS (normal saline), 항구토제(ondansetron) + 마약(fentanyl) 등이 들어가고 용량에 따라 48~72시간, 심지어 5일간(통상 48시간) 천천히 자동으로 들어간다. Switch가 있는 경우 환자가 누를 때마다 더 많은 양이 들어가지만 여러 번 눌러도 button이 돌아오는 데 시간이 걸리도록 safeguard system이 있다. 보통 상품명 Accufuser (영일제약)을 사용하고 회사에 따라 곤봉형(cylinder shape), 도넛형(doughnut shape) 등 다양하다.

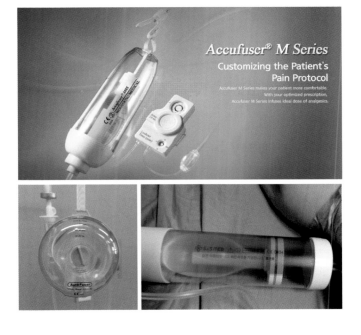

# 눈세트

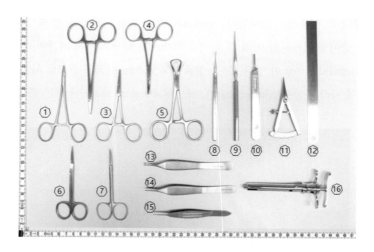

# Eye-Udl Surgery Set

| | 품목 | 제조국 |
|---|---|---|
| 1 | Webster Needle Holder (11 Cm) | Germany |
| 2 | Needle Holder 13cm | Germany |
| 3 | Micro Hartman Mosquito Forceps 3 1/2 str | PK |
| 4 | Micro Hartman Mosquito Forceps 12cm cvd | PK |
| 5 | Towel Forcep 11cm | PK |
| 6 | Cut Scissors 10.5Cm str | PK |
| 7 | Iris Scissor 10.5cm cvd | Germany |
| 8 | Skin Hook Double | PK |

| | 품목 | 제조국 |
|---|---|---|
| 9 | Skin Hook Single | PK |
| 10 | Knife Handle No. 3 | UK |
| 11 | Caliper | PK |
| 12 | Ruler 15Cm | Japan |
| 13 | Adson Tissue F creeps | PK |
| 14 | Ad son Dressing Forceps | PK |
| 15 | Castroviejo Suture Foreceps 0.5mm or 0.3mm | PK |
| 16 | Dental Syringe | KOR |

# 눈세트

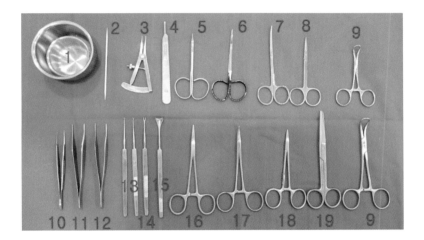

| | 품목 |
|---|---|
| 1 | 바울 2 개 |
| 2 | 픽 |
| 3 | 캘리퍼 |
| 4 | 메스대 |
| 5 | 데노토미 시져 |
| 6 | 아일리스 시져 |
| 7 | 메점 바움 |
| 8 | 컷 시져 |
| 9 | 타월클립 |
| 10 | 카스트로 비숍 |

| | 품목 |
|---|---|
| 11 | 에디슨포셉(무구) |
| 12 | 에디슨 포셉(유구) |
| 13 | 싱글 혹 2 개 |
| 14 | 더블 혹 |
| 15 | 데스마 리트렉타 |
| 16 | 일자 모스키토 |
| 17 | 커브 모스키토 |
| 18 | 니들홀더 |
| 19 | 막시져 |

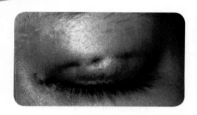

# 06
# 매몰법, 찝는 눈수술
(Non-Incisional Double eyelidplasty, NI)

## 1. 마취

국소마취 or 국소+수면마취 asc

## 2. 수술시간

30분

## 3. 준비물

1) Design (디자인)

   디자인펜 모나미 네임펜 가는글씨용

2) Drugs (약물)

   마취약 local anesthetics (lidocane+bupivac

aine+epinephrine) 1cc syringe에 2ea준비

### 3) Suture Materials (봉합사)

- 7-0 Nylon 실(매몰용 실) 24mm 3/8
- 6-0 Nylon 절개선(stab incision) 봉합용
- 4-0 Surgifit or Vicryl (traction suture 용 ; 눈꺼풀 견인용) - 수술 후 제거

### 4) Instruments (기구)

① Airway mouthpiece (green)
② 캘리퍼(caliper)
③ #11번 칼날 Bard Parker blade
④ Bowl 2ea (for saline and local anesthetics solution)
⑤ Magnetic Mat (자석 실리콘 매트)
⑥ Needle holder (무구 non-serrated, not toothed)
⑦ Castrovieje forceps
⑧ Mosquito
⑨ Cut scissors
⑩ Iris scissors (sharp metzenbaum)
⑪ Ragnell retractor 라그넬

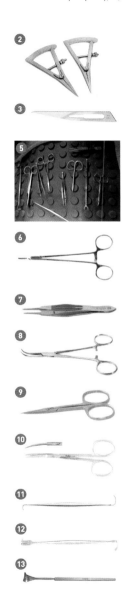

# 07

## 절개법
(Double eyelidplasty Incisional Approach, DI)

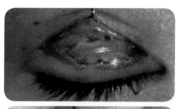

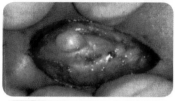

## 1 마취

국소만 or 국소 + 수면

## 2 수술시간

1시간

## 3  준비물

1) Design (디자인)

   ① 디자인펜 모나미 네임펜 가는글씨용

   ② 캘리퍼(caliper)

2) Drugs (약물)

마취약 local anesthetics (lidocane+bupivac aine+epinephrine) 1cc syringe에 2ea준비

3) Suture Materials (봉합사)

- 7-0 Nylon 실(고정용 실 fication suture)
- 6-0 Nylon 절개선(anterior septum repair용) 봉합용
- 7-0 Black silk 피부(skin) 봉합용

4) Instruments (기구)

   ① Airway mouthpiece (green)

   ② 캘리퍼(caliper)

   ③ #15번 칼날 Bard Parker blade

   ④ Bowl 2ea (for saline and local anesthet-ics solution)

   ⑤ Magnetic Mat (자석 실리콘 매트)

   ⑥ Needle holder (무구 non-serrated,

not toothed)

⑦ Castrovieje forceps

⑧ Mosquito

⑨ Cut scissors

⑩ Iris scissors (sharp metzenbaum)

⑪ Ragnell retractor 라그넬

⑫ Senn retractor 쎈

⑬ Desmares retractor 데스마레

⑭ Skin hook 1arm

⑮ Towel clips

5) Equipments (기계)

보비 Bovie electrocoagulator

6) Disposables (소모품)

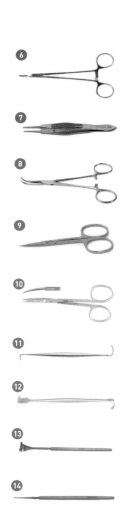

## 4 수술과정

1) 국소마취: 디자인했던 부위 좌우 각각 1cc씩 마취(추후 안와지방 제거 시 추가)

2) 절개선: 15번 칼날 이용

3) 피부절제: iris scissors (sharp Metzenbaum) 이용 절제

4) 안와 지방 제거: 절개선을 앞쪽 격막에 가하고 안와지방을 꺼내면 지방에 국소 마취제 주사 후 assist가 모스키토로 안와지방 줄기부분을 잡는다. 이후 #15blace로 안와지방 절제 한다.

5) 절제된 피부 및 안와지방(orbital fat)을 모아 놓는다(추후 사진 촬영).

6) 고정실(fixation suture) 6-0 nylon으로 고정한다.

7) 격막(anterior septum) repair

8) 피부 봉합(skin repair) c 7-0 Black silk

## 5 봉합사의 제거

POD #5

## 6 사후관리

눈 비비기, 술 담배, 피를 묽게 하는 건강보조식품 1달 이상 금지

Antibiotics CEFA, GM, PO meds 5 days

## 7 F/U Follow UP

POD #1, 3, 5, 7, 10,14, 30, 60, 90, 180

## 8 PHOTO

POD #0, 7, 10, 14, 30, 60, 90, 180

# 08
## 앞트임, 내안각 췌피술
(Epicanthoplasty, EPI)

### 1　마취

국소만 or 국소 + 수면

### 2　수술시간

20분

### 3　준비물

1) Design (디자인)

　　① 디자인펜 모나미 네임펜 가는글씨용

　　② 캘리퍼(caliper)

## 7 F/U Follow UP

POD #1, 3, 5, 7, 10, 14, 30, 60, 90, 180

## 8 PHOTO

POD #0, 7, 10, 14, 30, 60, 90, 180

# 09
## 뒷트임
(Lateral Canthoplasty, LC)

### 1 마취

국소만 or 국소 + 수면

### 2 수술시간

20분

### 3 준비물

1) Design (디자인)

    ① 디자인펜 모나미 네임펜 가는글씨용

    ② 캘리퍼(caliper)

## 2) Drugs (약물)

마취약 local anesthetics (lidocane+bupivacaine+epinephrine) 1cc syringe에 2ea준비

## 3) Suture Materials (봉합사)

- 4-0 Surgifit (견인용(traction suture)) 수술 후 제거
- 5-0 PDS (점막 고정용)(봉합)
- 5-0 Black silk (피부 봉합용)(고정용)

## 4) Instruments (기구)

① Airway mouthpiece (green)
② 캘리퍼(caliper)
③ #11번 칼날 Bard Parker blade
④ #15번 칼날 Bard Parker blade
⑤ Bowl 2ea (for saline and local anesthetics solution)
⑥ Magnetic Mat (자석 실리콘 매트)
⑦ Needle holder (무구 non-serrated, not toothed)
⑧ Castrovieje forceps
⑨ Cut scissors
⑩ Iris scissors (sharp metzenbaum)
⑪ Towel clips

5) Equipments (기계)

　　보비 Bovie electrocoagulator

6) Disposables (소모품)

　　Steri strips

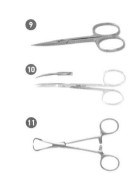

---

### 4　수술과정

1) 국소마취: 디자인했던 부위 좌우 각각 1cc씩 마취

2) 견인실(traction suture) 고정 상안검 및 하안검

3) 절개선: 11번 칼날 이용

4) 피부 및 점막절개: 11번 칼날 이용 iris scissors (sharp Metzenbaum) 이용 절제

5) 전기소작(electrocautery with bovie)을 이용한 눈둘레근 박리

6) 5-0 PDS (fixation suture)로 점막 고정

7) 5-0 Black silk로 피부 봉합 및 견인

8) Steri Strip으로 고정

---

### 5　봉합사의 제거

POD #7

## 6 사후관리

눈 비비기, 술 담배, 피를 묽게 하는 건강보조식품 1달 이상 금지

Antibiotics CEFA, GM, PO meds 5 days

## 7 F/U Follow UP

POD #1, 3, 5, 7, 10, 14, 30, 60, 90, 180

## 8 PHOTO

POD #0, 7, 10, 14, 30, 60, 90, 180

# 10
## 경결막하 안와지방 제거술
(Transconjunctival Fat Removal, TCFR)

### 1 마취

국소만 or 국소 + 수면

### 2 수술시간

1시간

### 3 준비물

1) Design (디자인)

① 디자인펜 모나미 네임펜 가는글씨용

② 캘리퍼(caliper)

## 2) Drugs (약물)

마취약 local anesthetics (lidocane+bupivac
aine+epinephrine) 1cc syringe에 2ea준비

## 3) Suture Materials (봉합사)

4-0 Surgifit(견인용(traction suture)) 수술
후 제거

## 4) Instruments (기구)

① Airway mouthpiece (green)

② #15번 칼날 Bard Parker blade

③ Bowl 2ea (for saline and local anesthet-
ics solution)

④ Magnetic Mat (자석 실리콘 매트)

⑤ Needle holder (무구 non-serrated,
not toothed)

⑥ Ragnell retractor

⑦ Senn retractor

⑧ Desmares retractor

⑨ Castrovieje forceps

⑩ Cut scissors

⑪ Tenotomy scissors

⑫ Iris scissors (sharp metzenbaum)

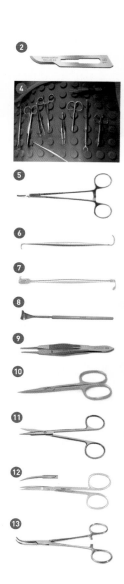

⑬ Mosquito

⑭ Towel clips

5) Equipments (기계)

보비 Bovie electrocoagulator

6) Disposables (소모품)

3M Micropore tape (10mm)

## 4 수술과정

1) 국소마취: 디자인했던 부위 좌 각각 1cc씩 마취

2) 견인실(traction suture) 고정 하안검

3) Adson forceps 무구 및 견인실로 눈을 뒤집는다.

4) 절개선: 15번 칼날 이용

5) 박리: tenotomy 이용 및 전기소작(electrocautery with Bovie)을 이용한 지혈

6) 안와지방 절제(orbital fat resection)

## 5 봉합사의 제거

제거 필요 없음

## 6 사후관리

눈 비비기, 술 담배, 피를 묽게 하는 건강보조식품 1달 이상 금지

Antibiotics CEFA, GM, PO meds 5 days

## 7 F/U Follow UP

POD #1, 3, 5, 7, 10, 14, 30, 60, 90, 180

## 8 PHOTO

POD #0, 7, 10, 14, 30, 60, 90, 180

# 11
## 상안검
(Upper Blepharoplasty, UB)

### 1 마취

국소만 or 국소 + 수면

### 2 수술시간

45분

### 3 준비물

1) Design (디자인)

① 디자인펜 모나미 네임펜 가는글씨용

② 캘리퍼(caliper)

## 2) Drugs (약물)

마취약 local anesthetics (lidocane+bupivac aine+epinephrine) 1cc syringe에 2ea준비

## 3) Suture Materials (봉합사)

- Surgifit
- Nylon
- Nylon
- Black silk

## 4) Instruments (기구)

① Airway mouthpiece (green)
② 캘리퍼(caliper)
③ #15번 칼날 Bard Parker blade
④ Bowl 2ea (for saline and local anesthet-ics solution)
⑤ Magnetic Mat (자석 실리콘 매트)
⑥ Needle holder (무구 non-serrated, not toothed)
⑦ Castrovieje forceps
⑧ Mosquito
⑨ Cut scissors
⑩ Iris scissors (sharp metzenbaum)

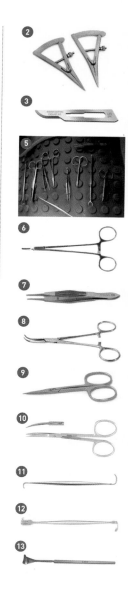

⑪ Ragnell retractor 라그넬

⑫ Senn retractor 쎈

⑬ Desmares retractor 데스마레

⑭ Skin hook 1arm

⑮ Towel clips

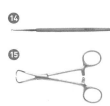

5) Equipments (**기계**)

보비 Bovie electrocoagulator

6) Disposables (**소모품**)

- 2×2 gauze

- 4×4 gauze

- 3M Microporse tape 갈색 종이 테이프 얇은 것

## 4 수술과정

1) 국소마취: 디자인했던 부위 좌우 각각 1cc씩 마취(추후 안와지방 제거 시 추가)

2) 절개선: 15번 칼날 이용

3) 피부절제: iris scissors (sharp Metzenbaum) 이용- 절제

4) 안와 지방 제거: 절개선을 앞쪽 격막에 가하고 안와지방을 꺼내면 지방에 국소 마취제 주사 후 assist가 모스키토로 안와지방 줄기부분을 잡는다. 이후 #15blade로 안와지방을 절제 한다.

5) 절제된 피부 및 안와지방을 모아 놓는다(추후 사진 촬영).

6) 고정실(fixation suture)로 6-0 nylon으로 고정한다.

7) 피부 봉합: Black silk 7-0 Skin repair

## 5 봉합사의 제거

POD #5

## 6 사후관리

눈 비비기, 술 담배, 피를 묽게 하는 건강보조식품 1달 이상 금지

Antibiotics CEFA, GM, PO meds 5 days

## 7 F/U Follow UP

POD #1, 3, 5, 7, 10, 14, 30, 60, 90, 180

## 8 PHOTO

POD #0, 7, 10, 14, 30, 60, 90, 180

# 12
## 하안검
(Lower Blepharoplasty, LB)

---

### 1 마취

국소만 or 국소 + 수면

### 2 수술시간

45분

### 3 준비물

1) Design (디자인)

디자인펜 네임펜 얇은 것

2) Drugs (약물)

마취약 local anesthetics (lidocane+bupivacaine+epinephrine) 1cc syringe에 준비

## 6 사후관리

눈 비비기, 술 담배, 피를 묽게 하는 건강보조식품 1달 이상 금지

Antibiotics CEFA, GM, PO meds 5 days 약 처방 항생제 5일, taping for 5days

## 7 F/U Follow UP

POD #1, 3, 5, 7, 10, 14, 30, 60, 90, 180

## 8 PHOTO

POD #0, 7, 10, 14, 30, 60, 90, 180

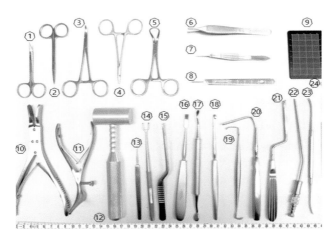

# Nose Surgery Set

| | 품목 | | 품목 |
|---|---|---|---|
| 1 | Angle Scissor | 13 | Skin Hook Double |
| 2 | Cut Scissor | 14 | Joseph Hook 7mm |
| 3 | Mosquito Forcep 12cm cvd | 15 | Bayonet Forcep 16cm |
| 4 | Webster Needle Holder | 16 | Joseph Elevator |
| 5 | Towel Forcep 11cm | 17 | Double Rasp |
| 6 | Brown Forcep | 18 | D - Knife |
| 7 | Castroviejo Forcep | 19 | Ragnell |
| 8 | Knife Handle | 20 | Aufri eh Retractor |
| 9 | Sheen Grid | 21 | Swibell Knife |
| 10 | Carti l age Crusher | 22 | Suction Tip 1 OF |
| 11 | Nasal Specul urn 3.5cm | 23 | Freere Elevator |
| 12 | Mallet | 24 | Cottle Elevator |

# 코세트

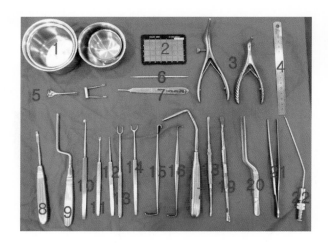

| | 품목 |
|---|---|
| 1 | 바울(4개) |
| 2 | 철도마 |
| 3 | 비경(나찰 스퍼 큐헐) |
| 4 | 철자 |
| 5 | 셀프 리트랙터 |
| 6 | 픽 |
| 7 | 메스대 |
| 8 | 조셉 웰리베이터 |
| 9 | 스위빌라이프 |
| 10 | 디나이프 |
| 11 | 더 블 혹(라헤식후크) 거드러 후크 |

| | 품목 |
|---|---|
| 12 | 싱글 혹 |
| 13 | 조셉 후크 |
| 14 | 포몬 리트랙타 |
| 15 | 센 리트렉타 |
| 16 | 라그낼 리트 럭타 |
| 17 | 아우프리트 리트럭타 |
| 18 | 페리오 |
| 19 | 레습 |
| 20 | ENT 포셉 |
| 21 | 드레싱 포셉 |
| 22 | 석션 튜브 |

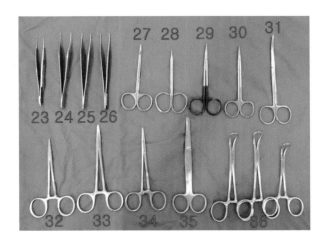

| | 품목 |
|---|---|
| 23 | 카스트로 비울 |
| 24 | 에디슨 포셉(유구) |
| 25 | 에디슨 포셉(무구) |
| 26 | 브라운 포셉(부구) |
| 27 | 앵글 시져 |
| 28 | 테노토 미 시져 |
| 29 | 아일리스 시져 |

| | 품목 |
|---|---|
| 30 | 컷 시져 |
| 31 | 메웰바움 |
| 32 | 니 둘흘 더 |
| 33 | 큰 니들흘더 |
| 34 | 일자 모스키토 |
| 35 | 막기위 |
| 36 | 타월클힐+석션출+대공포+직포 |

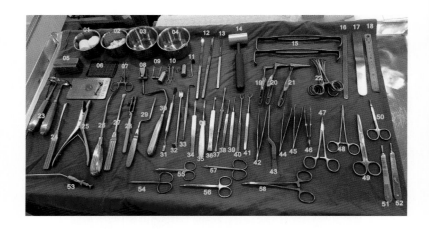

| | 품 목 | | | 품 목 | | | 품 목 |
|---|---|---|---|---|---|---|---|
| 1 | cotton ball large | | 21 | Nasal Speculum (large) | | 41 | 2 prong retractor |
| 2 | cotton ball small | | 22 | Towel clips | | 42 | Adson forceps |
| 3 | bowl | | 23 | Doyen elevator (Rt & Lt) | | 43 | Bayonet forceps |
| 4 | bowl | | 24 | J stripper | | 44 | Adson forceps |
| 5 | cartilage crusher | | 25 | Cartilage morseliser | | 45 | Adson Brown forceps |
| 6 | Sheen grid | | 26 | Curved elevator | | 46 | Castroviejo forceps |
| 7 | Self retractor (head portion) | | 27 | Periosteal elevator | | 47 | Needle holder (large) |
| 8 | Self retractor (nasal portion) | | 28 | Cartialge fixation device | | 48 | Needle holder (small) |
| 9 | Self retractor (nasal portion) | | 29 | Ballenger Swivel knife | | 49 | Scissors (large) |
| 10 | Self retractor (alar cartilage) | | 30 | Aufricht retractor | | 50 | Scissors (small) |
| 11 | Self retractor (nasal portion) | | 31 | Rasp | | 51 | Scalpel blade holder |
| 12 | Osteotome 6mm (Rt & Lt) | | 32 | Senn retractor | | 52 | Scalpel blade holder |
| 13 | Osteotome 4mm | | 33 | Ragnell retractor | | 53 | Suction tip |
| 14 | Mallet | | 34 | Joseph knife | | 54 | Iris scissors |
| 15 | Army-Navy | | 35 | Joseph elevator | | 55 | Converse scissors |
| 16 | Maleable retractor small | | 36 | D knife | | 56 | blunt metzenbaum scissors |
| 17 | Maleable retractor large | | 37 | Freer elevator | | 57 | tenotomy scissors |
| 18 | Ruler | | 38 | Skin hook (2 arm) | | 58 | Mosquito |
| 19 | Nasal Speculum (small) | | 39 | Skin hook (1 arm) | | | |
| 20 | Nasal Speculum (medium) | | 40 | Skin hook (double arm) | | | |

# 14
## 코성형 융비술
(Augmentation Rhinoplasty, AR)

### 1 마취

국소마취+수면마취

### 2 수술시간

1시간 30분

### 3 Drape

헤드 드레이프(head drape)

### 4 준비물

1) Design (디자인)

디자인펜 모나미 네임펜 가는글씨용

67

## 2) Drugs (약물)

마취약 local anesthetics (lidocaine+bupivac aine+epinephrine) 1cc syringe 에 2ea 준비
약물 준비 : Mobinul 1A, Cefa 1A, GM 1A, Tranexamic acid 1A, DEXA 1A

## 3) Suture Material (봉합사)

- 5-0 Surgifit or Vicryl (subcutaneous 비주 및 귀 피하 and nasal vestibule 코 점막 봉합용)
- 6-0 Nylon (피부 봉합용 비주(colu-mella) and 귀)
- 5-0 PDS (갈비연골, 비중격 연골 및 귀연골 고정용)

## 4) Instruments (기구)

① Airway mouthpiece (green)
② Nostril hair shaver (콧털깎이)
③ #11번 칼날 Bard Parker blade
④ #15번 칼날 Bard Parker blade
⑤ Magnetic Mat (자석 실리콘 매트)
⑥ Needle holder (무구 non-serrated, not toothed)

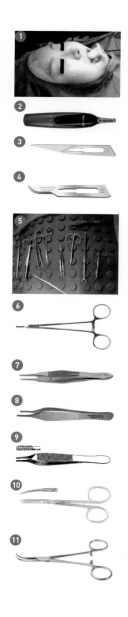

⑦ Castrovieje forceps

⑧ Adson forceps

⑨ Adson Brown forceps

⑩ Iris scissors (sharp metzenbaum)

⑪ Converse scissors (angled)

⑫ Sheen grid (쉐 판)

⑬ Ragnell retractor 라그넬

⑭ Senn retractor 쎈

⑮ Aufricht retractor 아우프리흐트

⑯ Self-retractor 셀프 리트랙터

⑰ 2-prong retractor

⑱ Skin hook 1arm

⑲ Rubber band 고무줄

⑳ Towel clips

㉑ Freer elevator (Cottle elevator 비슷)

㉒ Brown Forceps

㉓ Joseph knife (끝이 spade 모양, 뾰족삽
처럼 생김)

㉔ Swivel knife (감자칼과 비슷한 모양,
스위벨 나이프)

㉕ Suction tube

㉖ Suction tip

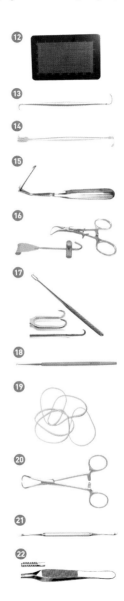

## 6  봉합사의 제거

POD #5 columella 비주, Merocel 제거, ear boslter dressing 제거

POD #7 가슴 늑연골(rib cartilage) 피부봉합부위 제거

POD #10~14 nasal vestibule 코 점막 및 transfixation suture

POD #10~14 ear skin 제거

## 7  사후관리

약 처방 항생제 5일, taping for 5days

코 만지는 것, 코 풀기, 안경 착용, 술 담배, 피를 묽게 하는 건강보조식품 1달 이상 금지

Antibiotics CEFA, GM, PO meds 5 days

Zyrtec 지르텍 종합감기약 복용 지도

## 8  F/U Follow UP

POD #1, 3, 5, 7, 10, 14, 30, 60, 90, 180

## 9  PHOTO

POD #0, 7, 10, 14, 30, 60, 90, 180

## 연골채취 (Harvesting Cartilage)

1. Conchal cartilage harvest (귀연골 채취)
   특별한 언급이 없을 경우 **우측 귀(Rt ear) 준비**, 그 전 수술로 이미 많은 양을 썼을 경우 좌측 귀 준비. 귀 연골 harvest 후 4X4 gauze (total 4개)로 추후 앞뒤 대고 bolster dressing 준비. Surgifit 4-0 준비. 수술 끝나고 fluffy gauze 더 추가하여 hypafix(=fixmull)로 감싸서 돌려서 mild compressive dressing. Maintain bolster until POD#5.

2. Septal cartilage harvest (비중격연골 채취)
   수술 중간에 harvest freer elevator, D-knife, swivel knife 준비
   술 후 transfixion suture with vicryl 5-0 준비, Merocel 준비(Doyle spint or silicone sheet 없을 경우) 이는 비중격 혈종(septal hematoma) 방지를 위해 필수적이다.

3. Costal cartilage harvest (갈비연골=늑연골 채취)
   **Rt. 7th rib** marking 되어 있는 부위 드렙하기
   Malleable retractor, D-knife, Army-Navy, Senn retractor, freer elevator, Doyen retractor 1 pair 준비.
   비상시 대비하여 **nelaton 1ea** 준비.

4. Nasal Osteotomies (비골 절골술)
   6mm guarded osteotome 좌우 1 pair, 4mm osteotome, 망치(mallet), Merocel, Denver splint 준비

5. Humpectomy, Rasping
   Rasp, Metzenbaum scissors, wet gauze 준비

6. Dermofat harvest
   Donor site: intergluteal crease(환자의 우측 엉덩이 쪽 디자인)
   엉덩이 betadine으로 드렙(drape) 준비
   직침(straight needle, empty needle)준비

# 15
## 코성형 콧볼축소
(Alar Reduction, AR)

## 1  마취

국소마취+수면마취

## 2  수술시간

30분

## 3  준비물

1) Design (디자인)

디자인펜 모나미 네임펜 가는글씨용

2) Drugs (약물)

마취약 local anesthetics (lidocaine+bupivac

aine+epinephrine) 1cc syringe에 2ea 준비
약물 준비 : Mobinul 1A, Cefa 1A, GM
1A, Tranexamic acid 1A, DEXA 1A

## 3) Suture Materials (봉합사)

- 5-0 Surgifit (봉합용)
- 6-0 Nylon (피부 봉합용)

## 4) Instruments (기구)

① Airway mouthpiece (green)

② #15번 칼날 Bard Parker blade

③ Magnetic Mat (자석 실리콘 매트)

④ Needle holder (무구 non-serrated, not toothed)

⑤ Castrovieje forceps

⑥ Adson forceps

⑦ Iris scissors (sharp metzenbaum)

⑧ Skin hook 1arm

⑨ Towel clips

⑩ Joseph knife (끝이 spade 모양, 뾰족삽 처럼 생김)

⑪ Suction tube

⑫ Suction tip

5) Equipments (기계)

   ① 전기소작 Bovie coagulation 40에 setting

   ② 석선기(suction unit)

6) Disposables (소모품)

   3M Micropore tape

   4×4 gauze

Model TSA-40
For using Surgical

---

### 4   수술과정

1) 국소마취: 디자인했던 부위 좌우 각각 1cc씩 마취

2) 절개선: 15번 칼날 이용

3) 피부절제 및 봉합

### 5   봉합사의 제거

POD #7

### 6   사후관리

약 처방 항생제 5일, taping for 5days

코 만지는 것, 코 풀기, 안경착용, 술 담배, 피를 묽게 하는 건강보조식품
1달 이상 금지

Antibiotics CEFA，GM，PO meds 5 days

## 7　F/U Follow UP

POD #1，3，5，7，10，14，30，60，90，180

## 8　PHOTO

POD #0，7，10，14，30，60，90，180

# 16

# 안면거상세트

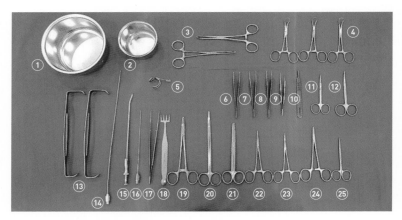

# Facelift Surgery Instruments Set

| | 품목 | | 품목 |
|---|---|---|---|
| 1 | bowl middle size | 14 | Cannula 2mm |
| 2 | bowl small size | 15 | suction tip |
| 3 | Allis clamps | 16 | cannula |
| 4 | Towel-clips | 17 | Long forceps |
| 5 | thumb rake | 18 | rake |
| 6 | forceps toothed | 19 | Needle holder |
| 7 | forceps non toothed | 20 | Rhytidectomy scissors long |
| 8 | forceps Adson Brown | 21 | Rhytidectomy scissors medium |
| 9 | forceps Castrovieje | 22 | Mosquito straight |
| 10 | Blade handle | 23 | Mosquito curved |
| 11 | iris scissors | 24 | Needle holder |
| 12 | tenotomy scissors | 25 | tenotomy scissors |
| 13 | Army Navy 2 ea | | |

# 17
## 안면거상
(Face Lift, FL)

## 1 마취

국소마취+수면마취

## 2 수술시간

3시간

## 3 준비물

1) Design (디자인)

디자인펜 모나미 네임펜 가는글씨용

2) Drugs (약물)

- 마취약 local anesthetics (lidocane+bupiv

acaine+epinephrine) 10cc syringe에 준비

- 투메(tumescent fluid) 준비
- 약물 준비: Mobinul 1A, Cefa 1A, GM 1A, DEXA 1A, Tranexamic acid 1A

3) Suture Materials (봉합사)

- 5-0 Nylon 실(skin repair-용)
- 6-0 Nylon 실(skin repair-용)
- 5-0 Surgifit or Vicryl (Subcutaneous)
- 4-0 Surgifit or Vicryl (Subcutaneous)
- 3-0 Surgifit or Vicryl (Subcutaneous)
- 3-0 Prolene (SMAS 거상용)

4) Instruments (기구)

① #15번 칼날 Bard Parker blade
② Thumb retractor (Freeman mini-rake retractor)
③ Castrovieje forceps
④ Adson forceps
⑤ Brown Forceps
⑥ Senn retractor
⑦ Army Navy retractor

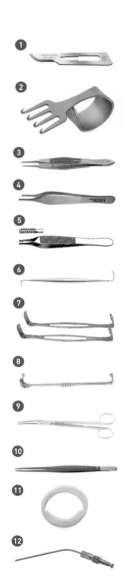

⑧ Richardson retractor (small)

⑨ Facelift scissors (long)

⑩ Coagulating Long forceps 절연된 것

⑪ Suction tube

⑫ Suction tip

Model TSA-40
For using Surgical

5) Equipments (**기계**)

① 전기소작 Bovie coagulation 40에 setting

② 석션기(suction)

6) Disposables (**소모품**)

- 의료용 스테이플러(staplers) regular size 1ea
- JP (Jackson- Pratt) drain 200cc 2ea
- Surginet 준비
- 테라미이신 연고(Teramycin ointment)

Drape: 헤드 드레이프(head drape)

## 4  수술과정

1) 국소마취: 디자인했던 부위

2) 절개선: 15번 칼날 이용

3) 투메 주입

4) 피부박리

5) 지혈

6) SMAS 절개 및 박리

7) SMAS 고정

8) 드레인 JP drain 삽입 및 고정

9) 피부 절제 및 봉합

10) 붕대(가볍게) or surginet

## 5 봉합사의 제거

POD #7 안면부, POD #14 귀뒤

## 6 사후관리

약 처방 항생제 5일, taping for 5days

술 담배, 피를 묽게 하는 건강보조식품 1달 이상 금지

Antibiotics CEFA, GM, PO meds 5 days

Tranexamic acid 2A IVH

## 7 F/U Follow UP

POD #1, 3, 5, 7, 10, 14, 30, 60, 90, 180

## 8 PHOTO

POD #0, 7, 10, 14, 30, 60, 90, 180

# 18
## 목거상
(Neck Lift, NL)

---

**마취**

국소마취+수면마취

**수술시간**

2시간 30분

**준비물**

1) Design (디자인)

디자인펜 모나미 네임펜 가는글씨용

2) Drugs (약물)

- 마취약 local anesthetics (lidocane+bupiv

7) Platysma 고정

8) 앞턱 접근 Corsette Plastysmaplasty

9) 드레인 JP drain 삽입 및 고정

10) 피부 절제 및 봉합

11) 붕대(가볍게) or surginet

## 5  봉합사의 제거

POD #7 안면부 및 앞턱 밑(submental crease)

POD #14 귀 뒤(posturicular area)

## 6  사후관리

약 처방 항생제 5일, taping for 5days

술 담배, 피를 묽게 하는 건강보조식품 1달 이상 금지

Antibiotics CEFA, GM, PO meds 5 days

Tranexamic acid 2A IVH

## 7  F/U Follow UP

POD #1, 3, 5, 7, 10, 14, 30, 60, 90, 180

## 8  PHOTO

POD #0, 7, 10, 14, 30, 60, 90, 180

# 19
## 가슴세트

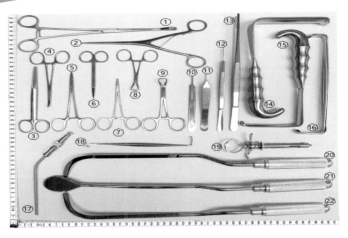

# Breast Surgery Set

| | 품목 | | 품목 |
|---|---|---|---|
| 1 | Ring Forcep | 12 | Gerald Tissue Forcep |
| 2 | Ring Bow Y Dissector | 13 | Dressing Forcep |
| 3 | OP Scissor | 14 | Breast Retractor Large |
| 4 | Mosquito Forcep 11cm | 15 | Breast Retractor Small |
| 5 | Webster Needle Holder | 16 | Army Retractor |
| 6 | Cut Scissor | 17 | Suction Tip 12F |
| 7 | Needle Holder 13cm | 18 | Sen Retractor |
| 8 | Towel Forcep 11cm | 19 | Dental Syringe |
| 9 | Towel Forcep 9cm | 20 | Submamary Dissector R |
| 10 | Knife Handle N o.3 | 21 | Agris Dingman Dissector |
| 11 | Adson Tissue Forcep | 22 | Submamary Dissector L |

# 20

## 가슴확대수술
(Breast Augmentation, BA) (Augmentation Mammoplasty)

### 1 마취

국소마취+수면마취

### 2 수술시간

1시간 30분

IV line 발등에 확보

### 3 준비물

1) Design (디자인)

- 디자인펜 모나미 네임펜 가는글씨용
- Sharpie pen 유성펜

## 2) Drugs (약물)

- 마취약 local anesthetics (lidocane+bupiv acaine+epinephrine) 10cc syringe에 준비
- 투메(tumescent fluid) 준비
- Adam's solution=Triple antibiotics solution (50,000 U bacitracin, 80mg gentamicin, 1 g cefazolin) bacitracin은 국내 유통이 안 되므로 betadine을 조금 넣는다.
- 약물 준비: Mobinul 1A, Cefa 1A, GM 1A, DEXA 1A, Tranexamic acid 1A

## 3) Suture Materials (봉합사)

- 5-0 Nylon 실(skin repair용)
- 6-0 Nylon 실(skin repair용)
- 5-0 Surgifit or Vicryl (Subcutaneous)
- 4-0 Surgifit or Vicryl (Subcutaneous)
- 3-0 Surgifit or Vicryl (Subcutaneous)

## 4) Instruments (기구)

① #15번 칼날 Bard Parker blade 2ea
② Needle holder (무구 non-serrated, not toothed) small

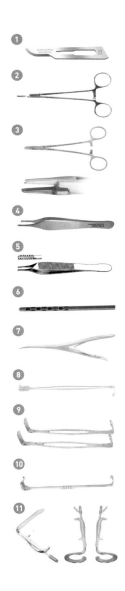

③ Needle holder (유구 serrated, toothed) large

④ Adson forceps

⑤ Brown Forceps

⑥ Cannulas (tumescent infiltration)

⑦ Ring bow Y Breast spreader

⑧ Senn retractor

⑨ Army Navy retractor

⑩ Richardson retractor (small)

⑪ Breast retractor

⑫ Ring breast retractor=question mark retractor (pair)

⑬ Fiberoptic cable

⑭ Coagulating Long forceps 절연된 것

⑮ MacCollum-Dingman breast dissector

⑯ Ring forceps

⑰ Suction tube

⑱ Suction tip

5) Equipments (기계)

① Light source (connect breast retractor with fiberoptic cable)

② 보비 Bovie electrocoagulator

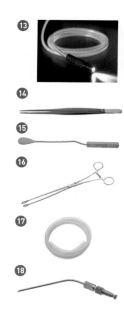

③ 석션기(suction unit)

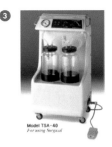

Model TSA-40
For using Surgical

6) Disposables (소모품)

① Breast Implant size 220, 250, 275, 280, 300

보통은 250~300 high profile, round textured

② JP (Jackson- Pratt) drain 200cc 2ea

③ 보정브라, 스포츠브라(sports bra)

④ Elatex for 7 days

⑤ 테라미이신 연고(Teramycin ointment)

Drape: 상체(upper torso), 양팔(arms), stocking net 양팔에 씌운다. 손이 자유로워야 한다.

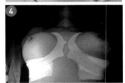

Ⅳ line 발등에 확보

## 4 수술과정

1) 국소마취: 디자인했던 부위 좌우 각각 마취

2) 절개선: 15번 칼날 이용

3) 투메 주입

4) 박리

5) 지혈

6) 보형물 Triple antibiotics solution에 넣었다가 삽입

7) JP drain 삽입 및 고정

8) 봉합

9) Taping with Elatex

## 5 봉합사의 제거

POD #3~5 JP Drain 제거 한쪽당 24시간 동안 30cc 미만이며 색이 Saguinous(빨강)>>serosanguinous(노란색(맑은 apple juice색 섞임)) 로 변하기 시작했을 때 제거

POD #7 axillary 겨드랑이

POD #7 periareolar 유륜

POD #7 IMF (Inframammary fold) 밑선

## 6 사후관리

약 처방 항생제 5일, taping for 5days

술 담배, 피를 묽게 하는 건강보조식품 1달 이상 금지

Antibiotics CEFA, GM, PO meds 5 days

Tranexamic acid 2A IVH

JP Drain 주기적으로 제거 교육

## 7 F/U Follow UP

POD #1, 3, 5, 7, 10, 14, 30, 60, 90, 180

## 8 PHOTO

POD #0, 7, 10, 14, 30, 60, 90, 180

# 21_
# 가슴축소술
(Breast Reduction, BA) (Reduction Mammoplasty)

## 1 마취

국소마취+수면마취

## 2 수술시간

1시간 30분

IV line 발등에 확보

## 3 준비물

1) Design (디자인)

- 디자인펜 모나미 네임펜 가는글씨용
- Sharpie pen 유성펜

## 2) Drugs (약물)

- 마취약 local anesthetics (lidocane+bup ivacaine+epinephrine) 10cc syringe 에 준비
- 투메(tumescent fluid) 준비

## 3) Suture Materials (봉합사)

- 5-0 Nylon 실(skin repair용)
- 6-0 Nylon 실(skin repair용)
- 5-0 Surgifit or Vicryl (Subcutaneous)
- 4-0 Surgifit or Vicryl (Subcutaneous)
- 3-0 Surgifit or Vicryl (Subcutaneous)

## 4) Instruments (기구)

① #15번 칼날 Bard Parker blade 2ea
② Needle holder (무구 non-serrated, not toothed) small
③ Needle holder (유구 serrated, toothed) large
④ Adson forceps
⑤ Brown Forceps
⑥ Cannulas (tumescent infiltration)
⑦ Freeman areola marker

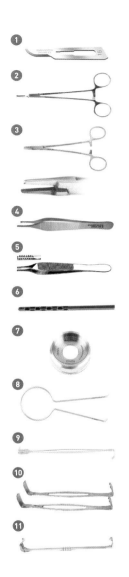

### 7 F/U Follow UP

POD #1, 3, 5, 7, 10, 14, 30, 60, 90, 180

### 8 PHOTO

POD #0, 7, 10, 14, 30, 60, 90, 180

# 22
## 여유증, 여성형 유방
(Gynecomastia)

### 1  마취

국소마취+수면마취

### 2  수술시간

1시간 30분

IV line 발등에 확보

### 3  준비물

1) Design (디자인)

① 디자인펜 모나미 네임펜 가는글씨용

② Sharpie pen 유성펜

## 2) Drugs (약물)

- 마취약 local anesthetics (lidocane+bup
  ivacaine+epinephrine) 10cc syringe 에
  준비
- 투메(tumescent fluid) 준비

## 3) Suture Materials (봉합사)

- 5-0 Nylon 실(skin repair용)
- 6-0 Nylon 실(skin repair용)
- 5-0 Surgifit or Vicryl (Subcutaneous)
- 4-0 Surgifit or Vicryl (Subcutaneous)

## 4) Instruments (기구)

① #15번 칼날 Bard Parker blade 2ea
② Needle holder (무구 non-serrated, not
   toothed) small
③ Adson forceps
④ Brown Forceps
⑤ Cannulas (tumescent infiltration)
⑥ Senn retractor
⑦ Army Navy retractor
⑧ Coagulating Long forceps 절연된 것

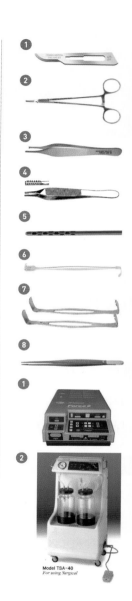

5) Equipments (**기계**)

   ① 보비 Bovie electrocoagulator

   ② 석션기(suction unit)

6) Disposables (**소모품**)

## 4　수술과정

1) 국소마취: 디자인했던 부위 좌우 각각 1cc씩 마취(추후 안와지방 제거 시 추가)

2) 절개선: 15번 칼날 이용

3) 투메 주입

4) 절제 및 지혈

5) 봉합

## 5　봉합사의 제거

POD #7 Steri Strip apply

## 6　사후관리

① 필요시 압박복(compression garments) 착용(즉시 혹은 7일 후 시작 3개월간)

② 에덴메디칼(Eden Medical)

③ 씨앤씨메디칼(C&C Medical)

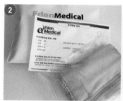

## 7 F/U Follow UP

POD #1, 3, 5, 7, 10, 14, 30, 60, 90, 180

## 8 PHOTO

POD #0, 7, 10, 14, 30, 60, 90, 180

# 23
## 액취증
(Osmidrosis (Bromhydrosis))

**마취**

국소마취+수면마취

**수술시간**

1시간 30분

IV line 발등에 확보

**준비물**

1) Design (디자인)

- 디자인펜 모나미 네임펜 가는글씨용

## 2) Drugs (약물)

- 마취약 local anesthetics (lidocane+bup ivacaine+epinephrine) 10cc syringe 에 준비
- 투메(tumescent fluid) 준비

## 3) Suture Materials (봉합사)

- 4-0 Nylon 실(skin repair용)
- 5-0 Nylon 실(skin repair용)
- 5-0 Black silk

## 4) Instruments (기구)

① #15번 칼날 Bard Parker blade 2ea

② Needle holder (무구 non-serrated, not toothed) small

③ Adson forceps

④ Brown Forceps

⑤ Cannulas (tumescent infiltration)

⑥ Senn retractor

## 5) Equipments (기계)

① 보비 Bovie electrocoagulator

② 석션기(suction unit)

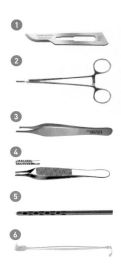

Model TSA-40
For using Surgical

6) Disposables (소모품)

## 4  수술과정

1) 국소마취: 디자인했던 부위 좌우 각각 1cc씩 마취

2) 절개선: 15번 칼날 이용

3) 박리

4) 뒤집어 Apocrine 선 절제

5) Irrigation

6) Stab incisions and base sutures

7) 봉합

## 5  봉합사의 제거

POD #10-14

## 6  사후관리

만두 드레싱 A/D gauze를 불려 fluffy gauze로 만든 것을 1장으로 만두처럼 싼다.

## 7  F/U Follow UP

POD #1, 3, 5, 7, 10, 14, 30, 60, 90, 180

## 8  PHOTO

POD #0, 7, 10, 14, 30, 60, 90, 180

# 24
## 복부성형술
(Abdominoplasty (Tummy Tuck))

### 1 마취

국소마취+수면마취

### 2 수술시간

4시간

### 3 준비물

**Foley catheter**

1) Design (디자인)

- 디자인펜 모나미 네임펜 가는글씨용
- Drape: 상체(upper torso)

## 2) Drugs (약물)

- 마취약 local anesthetics (lidocane+bup
  ivacaine+epinephrine) 10cc syringe 에
  준비
- 투메(tumescent fluid) 준비

## 3) Suture Materials (봉합사)

- 5-0 Nylon 실(skin repair용)
- 6-0 Nylon 실(skin repair용)
- 5-0 Surgifit or Vicryl (Subcutaneous)
- 4-0 Surgifit or Vicryl (Subcutaneous)
- 3-0 Surgifit or Vicryl (Subcutaneous)

## 4) Instruments (기구)

① #15번 칼날 Bard Parker blade 2ea
② Needle holder (무구 non-serrated,
  not toothed) small
③ Needle holder (유구 serrated, toothed)
  large
④ Adson forceps
⑤ Brown Forceps
⑥ Cannulas (tumescent infiltration)
⑦ Senn retractor

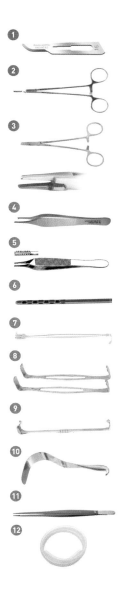

⑧ Army Navy retractor

⑨ Richardson retractor (small)

⑩ Deaver retractor

⑪ Coagulating Long forceps 절연된 것

⑫ Suction tube

⑬ Suction tip

### 5) Equipments (기계)

① Light source (connect breast retractor with fiberoptic cable)

② 보비 Bovie electrocoagulator

③ 석션기(suction unit)

Model TSA-40
For using Surgical

### 6) Disposables (소모품)

① JP (Jackson- Pratt) drain 200cc 2ea

② 보정속옷

③ 테라미이신 연고(Teramycin ointment)

## 4 수술과정

1) 국소마취: 디자인 했던 부위 국소마취, 박리부위는 tumescent fluid 주입

2) 절개선: 10번 및 15번 칼날 이용

3) 투메 주입 long blunt cannula 이용 wet 또는 superwet tumescent solution infiltration

4) 박리는 300W 이상 되는 (1000W 권장 [Valley Lab FX]) 전기소작기 (electrocautery) Bovie로 standard full abdominoplasty의 경우 xyphoid process 까지, mini-abdominoplasty의 경우 umbilicus 까지한다.

5) 절제 및 지혈: 여분의 피부및 연조직은 Pitanguy marking instrument 를 이용하여 markikng 후 10번 blade 로 절제한다.

6) 복벽의 강화 1-0 혹은 2-0 Prolene 을 이용하여 interrupted 몇개와 continuous interlocking suture technique으로 rectus abdominis muscle 위에 fascia를 plication 한다.

7) 봉합: Vicryl 3-0, 4-0 , 5-0 로는 fascia , subcutaneous layer를 layer by layer repair 후 skin은 4-0 and 5-0, nylon suture 를 이용하여 repair 한다.

## 5 봉합사의 제거

POD #7 Steri Strip apply

### 6 사후관리

① 필요시 압박복(compression garments) 착용(즉시 혹은 7일 후 시작 3개월간)

② 에덴메디칼(Eden Medical)

③ 씨앤씨메디칼(C&C Medical)

### 7 F/U Follow UP

POD #1, 3, 5, 7, 10, 14, 30, 60, 90, 180

### 8 PHOTO

POD #0, 7, 10, 14, 30, 60, 90, 180

# 25
## 위팔 축소술
(Brachioplasty (Upper Arm Reduction))

## 1 마취

국소마취+수면마취

## 2 수술시간

2시간

## 3 준비물

1) Design (디자인)

① 디자인펜 모나미 네임펜 가는글씨용

② 디자인펜 Sharpie pen(유성펜)

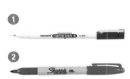

### 2) Drugs (약물)

- 마취약 local anesthetics (lidocane+bup ivacaine+epinephrine) 10cc syringe 에 준비
- 투메(tumescent fluid) 준비

### 3) Suture Materials (봉합사)

- 5-0 Nylon 실(skin repair용)
- 6-0 Nylon 실(skin repair용)
- 5-0 Surgifit or Vicryl (Subcutaneous)
- 4-0 Surgifit or Vicryl (Subcutaneous)
- 3-0 Surgifit or Vicryl (Subcutaneous)

### 4) Instruments (기구)

① #15번 칼날 Bard Parker blade 2ea
② Needle holder (무구 non-serrated, not toothed) small
③ Needle holder (유구 serrated, toothed) large
④ Adson forceps
⑤ Brown Forceps
⑥ Cannulas (tumescent infiltration)
⑦ Senn retractor

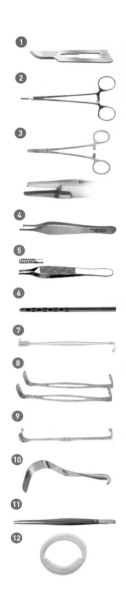

⑧ Army Navy retractor

⑨ Richardson retractor (small)

⑩ Deaver retractor

⑪ Coagulating Long forceps 절연된 것

⑫ Suction tube

⑬ Suction tip

5) Equipments (기계)

① 보비 Bovie electrocoagulator

② 석션기(suction unit)

6) Disposables (소모품)

- 보정속옷

- 테라미이신 연고(Teramycin ointment)

## 4 수술과정

1) 국소마취: 디자인 했던 부위 국소마취, 박리부위는 tumescent fluid 주입

2) 절개선: 11번 칼날 이용

3) 투메 주입 long blunt cannula이용 wet 또는 superwet tumescent solution infiltration

4) 지방흡입 liposuction long blunt cannula 이용 음압을 이용 suction 한다.

5) 피부절제 및 지혈: 여분의 피부만 얇게 절제한다. 그리고 Bovie 로 지혈한다.

6) 봉합: Vicryl 4-0, 5-0 로 subcutaneous layer를 skin은 4-0 and 5-0, nylon suture 를 이용하여 repair 한다.

## 5 봉합사의 제거

POD #7 Steri Strip apply

## 6 사후관리

① 필요시 압박복(compression garments) 착용(즉시 혹은 7일 후 시작 3개월간)

② 에덴메디칼(Eden Medical)

③ 씨앤씨메디칼(C&C Medical)

### 7　F/U Follow UP

POD #1, 3, 5, 7, 10, 14, 30, 60, 90, 180

### 8　PHOTO

POD #0, 7, 10, 14, 30, 60, 90, 180

## 26
## 지방이식
(Fat Graft, FG) (Fat Transfer) (Fat Injection)

### 1 마취

국소마취+수면마취

### 2 수술시간

1시간

### 3 준비물

1) Design (디자인)

　① 디자인펜 모나미 네임펜 가는글씨용

　② 디자인펜 Sharpie pen(유성펜)

## 2) Drugs (약물)

- 마취약 local anesthetics (lidocane+bupiva caine+epinephrine) 10cc syringe 에 준비
- 투메(tumescent fluid) 준비

## 3) Suture Materials (봉합사)

- 4-0 Nylon 실(skin repair-용-)

## 4) Instruments (기구)

① #11번 칼날 Bard Parker blade 1ea

② #15번 칼날 Bard Parker blade 1ea

③ Needle holder (무구 non-serrated, not toothed) small

④ Needle holder (유구 serrated, toothed) large

⑤ Adson forceps

⑥ Brown Forceps

⑦ Cannulas (tumescent infiltration)

## 5) Equipments (기계)

① 석션기(suction unit)

② 원심분리기(centrifuge)

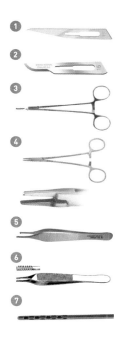

Model TSA-40
For using Surgical

6) Disposables (소모품)

- Luer Lock syringe 50cc
- Luer Lock syringe 10cc
- Luer Lock syringe 1cc
- 테라미이신 연고(Teramycin ointment)
- Duoderm

## 4 수술과정

1) 국소마취: 디자인했던 부위 좌우 각각 1cc씩 마취
2) 절개선: 15번 칼날 이용 양측 바깥 허벅지
3) 투메주입
4) 20분 후 지방 흡입 채취, 봉합
5) 원심분리 10분 at 3000RPM
6) 안면캐뉼라에 넣음
7) 지방주입
8) Duoderm 붙이기

## 5 봉합사의 제거

POD #7

## 6 사후관리

2차 FAT 보관(4개월까지)

## 7  F/U Follow UP

POD #1, 3, 5, 7, 10, 14, 30, 60, 90, 180

## 8  PHOTO

POD #0, 7, 10, 14, 30, 60, 90, 180

# 27
## 지방흡입
(Liposuction, Lipectomy)

### 1 마취

국소마취+수면마취

### 2 수술시간

1시간 ~ 3시간

### 3 준비물

1) Design (디자인)

① 디자인펜 모나미 네임펜 가는글씨용

② 디자인펜 Sharpie pen (유성펜)

## 2) Drugs (약물)

- 마취약 local anesthetics (lidocane+bu
  pivacaine+epinephrine) 10cc syringe에
  준비
- Mobinul 1A, Cefa 1A, GM 1A
- 투메(tumescent fluid) 준비

## 3) Suture Materials (봉합사)

- 4-0 Nylon 실(skin repair용)

## 4) Instruments (기구)

① #11번 칼날 Bard Parker blade 1ea

② #15번 칼날 Bard Parker blade 1ea

③ Needle holder (무구 non-serrated,
   not toothed) small

④ Needle holder (유구 serrated, toothed)
   large

⑤ Adson forceps

⑥ Brown Forceps

⑦ Cannulas (tumescent infiltration)

⑧ 캐뉼라 Cannula 준비(투메 주입용
   (2mm), 지방흡입용(Mercedes 3mm)

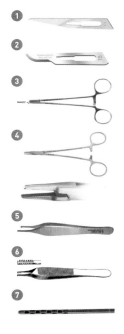

121

5) Equipments (기계)

  ① 석션기(suction unit)

  ② 원심분리기 Centrifuge

  ③ 투메 infiltration machine 준비
    NANUM 나눔메디칼

6) Disposables (소모품)

  • Luer Lock syringe 50cc

  • 테라미이신 연고(Teramycin ointment)

  • Antiembolic stocking

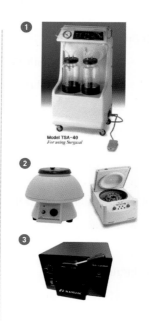

## 4 수술과정

1) 국소마취: 디자인했던 부위 좌우 각각 1cc씩 마취

2) 절개선: 15번 칼날 이용

3) 투메 주입

4) 20분 후 석션

5) 봉합

## 5 봉합사의 제거

POD #7 (공여부 허벅지 대퇴부 or 복부(abdomen))

## 6 사후관리

① 필요시 압박복(compression garments) 착용(즉시 혹은 7일 후 시작 3개월간)

② 에덴메디칼(Eden Medical)

③ 씨앤씨메디칼(C&C Medical)

## 7 F/U Follow UP

POD #1, 3, 5, 7, 10, 14, 30, 60, 90, 180

## 8 PHOTO

POD #0, 7, 10, 14, 30, 60, 90, 180

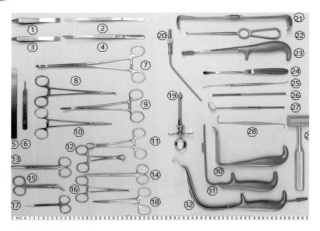

# Facial Bone Contouring Surgery Set

| | 품목 | | | 품목 |
|---|---|---|---|---|
| 1 | Adson Tissue Forcep | | 16 | Mosquito forcep 12cm cvd |
| 2 | Gelard Foecep | | 17 | Cut Scissor |
| 3 | Brown Forcep | | 18 | Needle Holder 14cm |
| 4 | Dressing Forcep 18cm | | 19 | Dental Syringe |
| 5 | Ruller | | 20 | Suction Tip 8F |
| 6 | Knife handle | | 21 | Richardson Retractor |
| 7 | Ring Forcep 25cm | | 22 | Bone Hook |
| 8 | Tonsil Forcep 18cm | | 23 | Striper |
| 9 | Kocher Forcep 18cm cvd | | 24 | Perio Elevator 7mm |
| 10 | Needle Holder 18cm Gold | | 25 | Freere Elevator |
| 11 | Towel Forcep 13cm | | 26 | Osteotome 6mm |
| 12 | Towel forcep 11cm | | 27 | Dental Mirror |
| 13 | OP Scissor | | 28 | Ragnell |
| 14 | Metzen Scissor 14.5cm cvd | | 29 | Mallet |
| 15 | Wire Scissor | | 30 | Jackson Retractor |

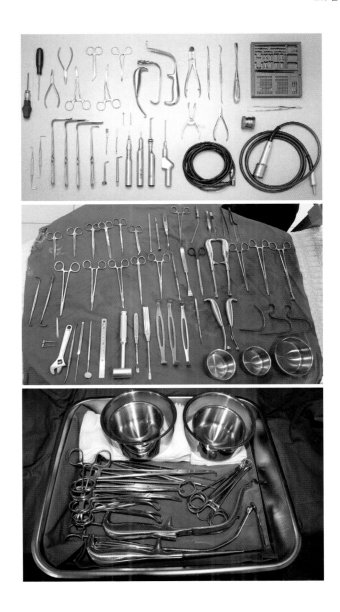

# 안면윤곽(보형물편)
(Facial Augmentation using Implants)

## 1 팔자 보형물 삽입
(Paranasal augmentation with silicone implant)

### 1 마취

국소마취+수면마취

### 2 수술시간

30분

**준비물**

1) Design (디자인)

   ① 디자인펜 모나미 네임펜 가는글씨용

   ② 디자인펜 Sharpie pen 유성펜

2) Drugs (약물)

   • 마취약 local anesthetics (lidocane+bupiv acaine+epinephrine) 10cc syringe에 준비

   • Mobinul 1A, Cefa 1A, GM 1A,

   • 투메 (tumescent fluid) 준비

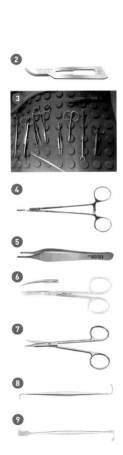

3) Suture Materials (봉합사)

   • 4-0 Surgifit 실(gingivobuccal sulcus repair용)

   • 5-0 Surgifit 실(gingivobuccal sulcus repair용)

4) Instruments (기구)

   ① Airway mouthpiece (green)

   ② #15번 칼날 Bard Parker blade

   ③ Magnetic Mat (자석 실리콘 매트)

   ④ Needle holder (무구 non-serrated, not toothed)

⑤ Adson forceps

⑥ Iris scissors (sharp metzenbaum)

⑦ Tenotomy scissors

⑧ Ragnell retractor 라그넬

⑨ Senn retractor 쎈

⑩ Towel clips

⑪ Freer elevator (cottle elevator 비슷)

⑫ Suction tube

⑬ Suction tip

5) Equipments (기계)

① 전기소작 Bovie coagulation 40에 setting

② 석션기 Suction

6) Disposables (소모품)

- 6mm implant pair

- 4×4 gauze

## 4  수술과정

1) 국소마취(local ansesthesia infiltration): 디자인했던 부위

2) 절개선(incision line): 15번 칼날 이용 입안절개(intraoral incision), 잇몸 절개(gingivobuccal sulcus incision)

3) 박리(dissection; undermining): tenotomy scissors, Bovie, freer elevator 이용

4) 보형물 삽입(insertion of implant)：curved mosquito를 이용

5) 고정(fixation of implant)：drill and screw를 이용

6) 봉합(repair of oral muscosa)：4-0 vicryl (interrupted), 5-0 vicryl (continuous)

7) Molding with Elatex

## 5 봉합사의 제거

POD #14

## 6 사후관리

Antibiotics CEFA, GM, PO meds

Molding with Elatex for POD #14

Hexamedine Gargle for 2 weeks

## 7 F/U Follow UP

POD #1, 3, 5, 7, 10, 14, 30, 60, 90, 180

## 8 PHOTO

POD #0, 7, 10, 14, 30, 60, 90, 180

**2** 턱 보형물 삽입
(Chin augmentation with silicone implant )

 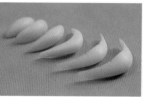

### 1 마취

국소마취+수면마취

### 2 수술시간

30분

### 3 준비물

1) Design (디자인)

　① 디자인펜 모나미 네임펜 가는글씨용

　② 디자인펜 Sharpie pen 유성펜

(2) Drugs 약물)

　• 마취약 local anesthetics (lidocane+bupiva

　　caine+epinephrine) 10cc syringe에 준비

　• Mobinul 1A, Cefa 1A, GM 1A,

　• 투메(tumescent fluid) 준비

3) Suture Materials (봉합사)

- 4-0 Surgifit 실(gingivobuccal sulcus re-pair용)
- 5-0 Surgifit 실(gingivobuccal sulcus re-pair용)

4) Instruments (기구)

① Airway mouthpiece (green)

② #15번 칼날 Bard Parker blade

③ Magnetic Mat (자석 실리콘 매트)

④ Needle holder (무구 non-serrated, not toothed)

⑤ Adson forceps

⑥ Iris scissors (sharp metzenbaum)

⑦ Tenotomy scissors

⑧ Ragnell retractor 라그넬

⑨ Senn retractor 쎈

⑩ Towel clips

⑪ Freer elevator (cottle elevator 비슷)

⑫ Suction tube

⑬ Suction tip

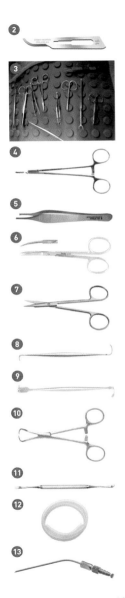

## 5) Equipments (기계)

① 전기소작 Bovi coagulation 40에 setting

② 석션기(suction unit)

## (6) Disposables (소모품)

- 6mm implant pair
- 4×4 gauze

---

### 4 수술과정

1) 국소마취(local anesthetics infiltration): 디자인했던 부위

2) 절개선(incision line): 15번 칼날 이용 입안절개(intraoral incision), 잇몸 절개(gingivobuccal sulcus incision)

3) 박리(dissection; undermining): tenotomy scissors, Bovie, freer elevator 이용

4) 보형물 삽입(insertion of implant): curved mosquito를 이용

5) 고정(fixation of implant): 안 하거나 drill and screw를 이용

6) 봉합(repair of oral muscosa): 4-0 vicryl (interrupted), 5-0 vicryl (continuous)

7) Molding with Elatex

---

### 5 봉합사의 제거

POD #14

### 6 사후관리

Antibiotics CEFA, GM, PO meds

Molding with Elatex for POD #14

Hexamedine Gargle for 2 weeks

### 7 F/U Follow UP

POD #1, 3, 5, 7, 10, 14, 30, 60, 90, 180

### 8 PHOTO

POD #0, 7, 10, 14, 30, 60, 90, 180

# 30
## 안면윤곽(뼈 수술편)
### (Facial Bone Contouring Surgery)

## 1  광대축소술
### (Zygoma reduction) (Malar reduction)

### 1  마취

국소마취+수면마취

### 2  수술시간

1시간 30분

### 3  준비물

1) LAB

- CBC 일반 혈액검사

- Electrolytes 전해질
- OT/PT 간기능검사
- PT, PTT 혈액응고검사
- VDRL 매독검사
- HBV test HBsAg, HBeAg, HBsAb 간염검사
- HCV test PCR 간염검사
- HIV test ELISA, 에이즈검사
- EKG 심전도검사

2) X-ray

- Panoramic view
- Cephalo AP & Lateral
- 3D CT scan
- Chest PA

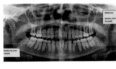    

3) Design (디자인)

- GV (Gentian Violet) & pick

## 4) Drugs (약물)

- 마취약 local anesthetics (lidocane+bupivac
  aine+epinephrine) 10cc syringe에 준비
- Mobinul 1A, Cefa 1A, GM 1A
- 나머지는 마취과에서 처리

## 5) Suture Materials (봉합사)

- 3-0 Surgifit 실(gingivobuccal sulcus repair용-)
- 4-0 Surgifit 실(gingivobuccal sulcus repair용-)

## 6) Instruments (기구)

① Cut scissors large and Mayo scissors

② Needle holder (14cm)

③ Long forceps (toothed)

=Gerald forceps

④ Angle widener

⑤ Yankauer suction tip

⑥ Suction tip

⑦ J stripper (pair)

⑧ Freer elevator

⑨ Periosteal elevator

⑩ Mallet

⑪ Dental Mirror

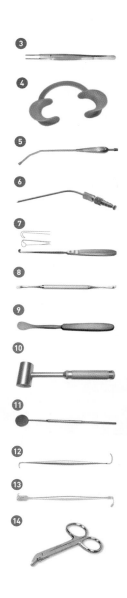

⑫ Ragnell retractor

⑬ Senn retractor

⑭ Wire cutter

⑮ Monkey spanner (small)

⑯ Army Navy pair

⑰ Jackson retractor, Mandibular retractor

## 7) Equipments (기계)

- 전기소작 Bovie coagulation 40에 setting

- 석션기(suction)

- 윤곽기계 facial bone contouring system

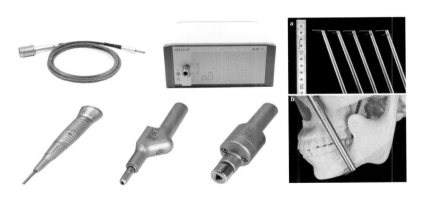

8) Disposables (소모품)

① Penrose drain

② Screw and Plate system

③ 50cc syringe and 18G needle

④ Bone wax

⑤ Surgicel

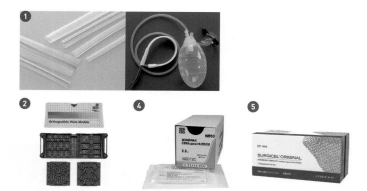

### 4 수술과정

1) 국소마취(local anesthetics infiltration): 디자인했던 부위

2) 절개선(incision line): 15번 칼날 이용 입안절개(intraoral incision),
   잇몸절개(gingivobuccal sulcus incision)

3) 박리(dissection; undermining): Bovie, freer elevator, periosteal elevator,
   J stripper 이용

4) Burring

5) 절골 oscillating saw

6) 절골 zygomatic arch with osteotome

7) 고정(fixation)： plate and screw or drill and wiring, JP drain

8) 봉합(repair of oral muscosa)： 3-0 vicryl (interrupted), 4-0 vicryl

## 5 봉합사의 제거

POD #14

## 6 사후관리

Antibiotics CEFA, GM, PO meds

Molding with Elatex for POD #14

Hexamedine Gargle for 2 weeks

## 7 F/U Follow UP

POD #1, 3, 5, 7, 10, 14, 30, 60, 90, 180

## 8 PHOTO

POD #0, 7, 10, 14, 30, 60, 90, 180

## 2 사각턱 절제술
(Angle reduction) (Angle ostectomy)

### 1 마취

국소마취+수면마취

### 2 수술시간

1시간 30분

### 3 준비물

1) LAB

- CBC 일반 혈액검사
- Electrolytes 전해질
- OT/PT 간기능검사
- PT, PTT 혈액응고검사
- VDRL 매독검사
- HBV test HBsAg, HBeAg, HBsAb 간염검사
- HCV test PCR 간염검사
- HIV test ELISA, 에이즈검사
- EKG 심전도검사

## 2) X-ray

- Panoramic view
- Cephalo AP & Lateral
- 3D CT scan
- Chest PA

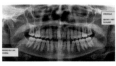

## 3) Design (디자인)

- GV(Gentian Violet) & pick

## 4) Drugs (약물)

- 마취약 local anesthetics (lidocane+bupivacaine+epinephrine) 10cc syringe에 준비
- Mobinul 1A, Cefa 1A, GM 1A,
- 나머지는 마취과에서 처리

## 5) Suture Materials (봉합사)

- 3-0 Surgifit 실(gingivobuccal sulcus repair용)
- 4-0 Surgifit 실(gingivobuccal sulcus repair용)

## 6) Instruments (기구)

① Cut scissors large and Mayo scissors

② Needle holder (14cm)

③ Long forceps (toothed)

    =Gerald forceps

④ Angle widener

⑤ Yankauer suction tip

⑥ Suction tip

⑦ J stripper (pair)

⑧ Freer elevator

⑨ Periosteal elevator

⑩ Mallet

⑪ Dental Mirror

⑫ Ragnell retractor

⑬ Senn retractor

⑭ Wire cutter

⑮ Monkey spanner (small)

⑯ Army Navy pair

⑰ Jackson retractor, Mandibular retractor

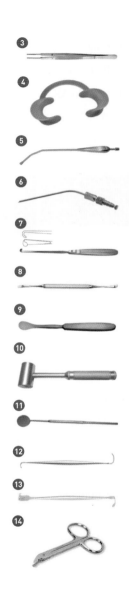

## 7) Equipments (기계)

- 전기소작 Bovie coagulation 40에 setting
- 석션기(suction)
- 윤곽기계 facial bone contouring system

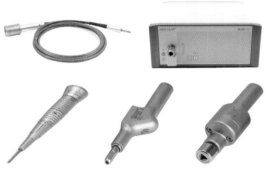

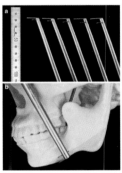

## 8) Disposables (소모품)

① Penrose drain

② Screw and Plate system

③ 50cc syringe and 18G needle

④ Bone wax

⑤ Surgicel

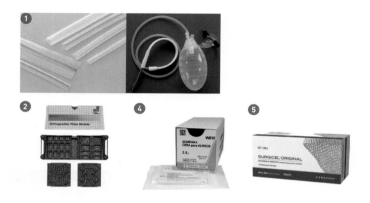

## 4 수술과정

1) 국소마취(local anesthetics infiltration): 디자인했던 부위

2) 절개선(incision line): 15번 칼날 이용 입안절개(intraoral incision),
   잇몸절개(gingivobuccal sulcus incision)

3) 박리(dissection; undermining): Bovie, freer elevator, periosteal elevator,
   J stripper 이용

4) Burring

5) 절골 oscillating saw

6) 절골 zygomatic arch with osteotome

7) 고정(fixation): plate and screw or drill and wiring, JP drain

8) 봉합(repair of oral muscosa): 3-0 vicryl (interrupted), 4-0 vicryl

## 5　봉합사의 제거

POD #14

## 6　사후관리

Antibiotics CEFA, GM, PO meds

Molding with Elatex for POD #14

Hexamedine Gargle for 2 weeks

## 7　F/U Follow UP

POD #1, 3, 5, 7, 10, 14, 30, 60, 90, 180

## 8　PHOTO

POD #0, 7, 10, 14, 30, 60, 90, 180

# 31
## 물품 재고 파악

- 물품 재고 파악은 매일 하면 제일 좋다.
- 간호사는 그날 그날 쓰인 물품을 기록하고 보관한다.
- 매일 파악하는 것 외에도 크게 2주마다의 주기로 파악한다.
- 자주 쓰는 물품이나 소모품은 cabinet 문 안쪽에 manifest를 작성하여 붙여 놓고 수량을 파악한다.
- 재고 파악은 반드시 2가지 형태로 모두 하는 것이 좋다: 수기 및 전자 수기 형태의 노트를 비치하여 파악하고 Excel file이나 google spreadsheet 혹은 ERP program 을 사용하여 파악하는 것이 좋다.

# 32
## 물품 주문

**주문은 최종 관리자의 권한으로 2가지 방법이 있다.**

① 유선상 전화로 주문하기
② 온라인 인터넷으로 주문하기

요즘은 소모품 업체에 회원 가입을 하면 온란인 주문이 가능하게 해놓은 곳이 많고 결제도 편하게 되어 있다. 관리하기가 용이하고 언제 무슨 물품을 얼마만큼 주문했는지, 과거 구매내역 등 일목요연하게 조회도 가능 하므로 가급적 ②번을 추천한다. 하지만 소모품 취급하는 거래처가 홈페이지가 없는 경우 혹은 여러 거래처를 두었을 경우는 ①의 방법과 혼용하여 사용할 수 있다.

## 물품 도착

① 사람이 직접 가져다 주는 경우

② 택배로 발송되는 경우

개업한 초창기에는 물품을 직접 확인할 수 있는 ①의 경우가 반품을 최소화 하고 초기 setting 을 하기 용이할 수 있다.

주문 양이 많을 경우 그리고 평소 주문하는 물품이 큰 변동이 없는 경우는 택배 주문이 간편하고 편하다.

## 거래명세서의 확인

거래처는 거래명세서를 2개 발행한다. 거래처 보관용과 병원 보관용이다. 이는 물품을 결재 및 확인할 경우 중요하다.

직인이 찍혀 있어야 하며 물품을 받거나 인수한 직원의 성함이 식별 가능한 정도의 정자 싸인을 남겨 놓도록 한다.

# 33
## 기구세척 및 소독

**기구세척**

모든 기구(instrument)는 steel이거나 stainless steel인 경우가 많아서 녹이 슨다. 기구 세척은 퐁퐁으로 가볍게 세척 후 반드시 수건 위에 거꾸로 세워 두어 건조한다.

Bovie tip, Bovie, airway mouth piece는 소독 용액에 담가둔다.

**기구소독**

### 1) AUTOCLAVE (고압멸균기)

- 공정 소요 시간: 45분, emergency 공정은 20분
- 유효기간: 2주

섭씨 121도까지 올라가며 1기압 1atm보다 높게 올라간다.

플라스틱(airway mouth piece 등), 보형물 등은 불가

포에 싸서 소독

## 2) EO GAS (ethylene oxide gas disinfection)

- 공정 소요 시간: 8시간 이상
- 유효기간: 6개월

Filter를 통해 유해 가스 외부로 자동 배출

주기적 filter 교체 필요(교체주기는 사용량에 비례하며, 보통 몇 년마다 교체한다)

보형물 소독

열에 약한 플라스틱 소독

종이 테이프 소독

# 34
## 소모품 관리
(Disposables and Expendables)

### 1 봉합사(Suture material)

거의 모든 봉합사는 cutting으로 주문한다.

예외: 쌍으로 된 바늘 매몰실

Round는 거의 쓰지 않는다. 간혹 점막 봉합 시 유용하나 바늘이 금방 무뎌진다.

점막이 잘 찢어지는 환자의 경우 안면윤곽 구강 점막 봉합 시 diamond 실이 오히려 round보다 좋은 alternative이다.

### 2 거즈

2×2 거즈

4×4 거즈

부직포 거즈는 눈 수술 시

일반적 거즈는 나머지 수술 시

텝거즈(tape gauze) 가슴 수술, 복부성형술 시

## 3 테이프(Tapes and plasters)

3M Micropore tapes 10mm, 20mm

픽스물(Fixmull) OR 하이파픽스(Hypafix)

ELATEX (가슴 수술 후 molding용)

## 4 보형물 관리

### 1) 보형물 종류(수술 종류에 따라)

① 코

② 팔자

③ 관자놀이

④ 앞턱

⑤ 가슴

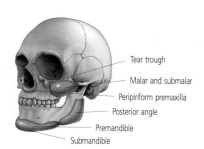

Tear trough

Malar and submalar

Peripiriform premaxilla

Posterior angle

Premandible

Submandible

### 2) 보형물 종류(재질 종류에 따라)

① 실리콘(Silicone) = PDMS (Poly dimethyl Siloxane)

② 고르텍스 ePTFE (Polytetrafluoroethylene)

③ 인공진피(AlloDerm, MatriDerm)

④ 인공 연골

## 3) 보형물 종류(제조사에 따라)

### ① 안면부

#### i) 거산무역상사(KEOSAN Trading Co)

http://www.ekeosan.com/

주의: 거산의 본 보형물은 사용자 멸균 제품이다.

#### ii) BISTOOL

http://www.bistool.com/softxil.html

# ▌거산무역상사(KEOSAN Trading Co)

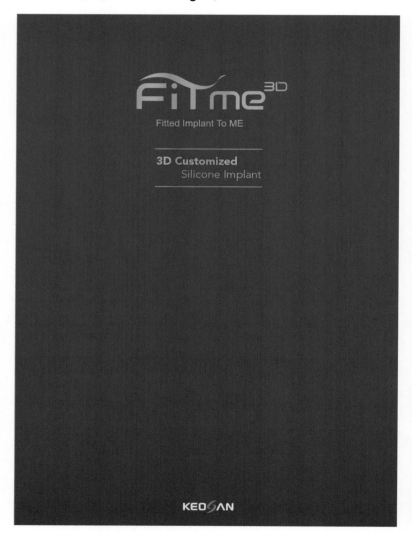

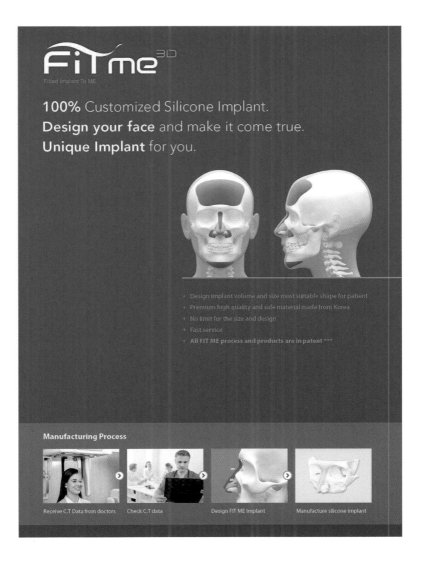

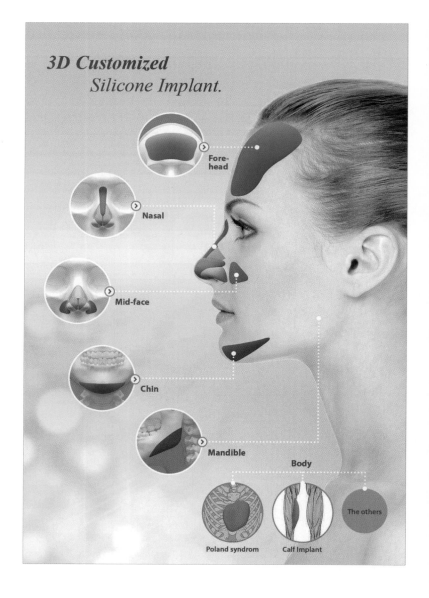

*3D Customized*
  *Silicone Implant.*

Fore-head

Nasal

Mid-face

Chin

Mandible

Body

Poland syndrom

Calf Implant

The others

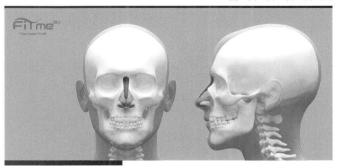

# Fit ME **Nasal**

### 100% Customized Nasal Implant
### fit to bone and cartilage.

- Recommend the patient who needs perfect fit and design on nose.
- Can choose 'glabella design' to cover the volume between eyes or boat type design.
- Accurate and perfect design for nose.
- **FIT ME Nasal process and products are in patent. \*\*\***

**Design**

It can be designed various types according to the order-form.
Below FIT ME Nasal design is the case from Japan patient.

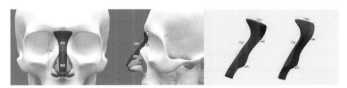

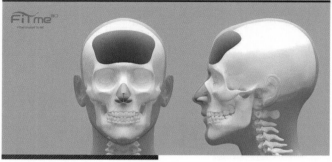

# Fit ME **Forehead**

### 100% Customized
### Forehead Implant **fit to bone.**

- Volume goes Permanent.
- Can choose the volume as patient wants
  - From natural to High volume.
- No lines after surgery (side part is very thin, no lines made)

**Forehead volume check**

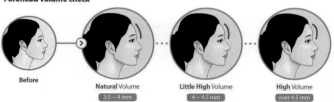

| Before | Natural Volume | Little High Volume | High Volume |
|--------|----------------|--------------------|-------------|
|        | 3.5 ~ 4 mm | 4 ~ 4.5 mm | over 4.5 mm |

\* **Recommended thickness can be different according to patient forehead style.**

\* Please check natural, little high or high volume style. KEOSAN can recommend thickness for each patient.
  (No limit for size and design)

To make the balance and volume on face,
**Forehead augmentation using silicone implant is popular
trend in Korea.** Compared with filler and fat injection,
it goes permanent and can be designed as patient wants.

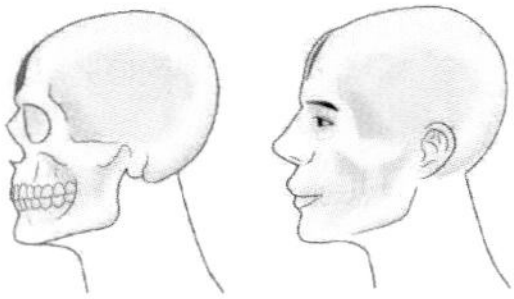

Before

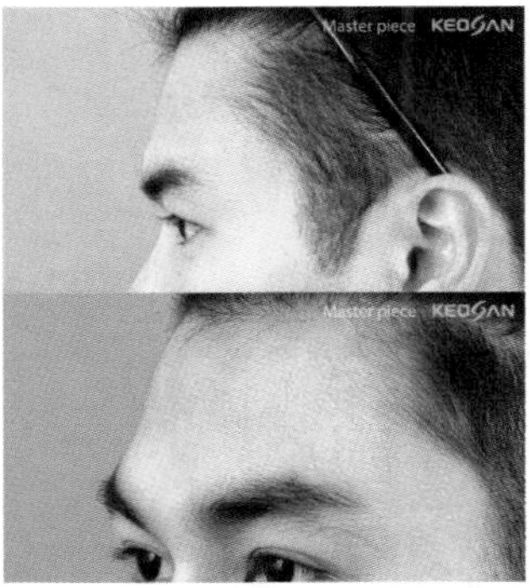

After

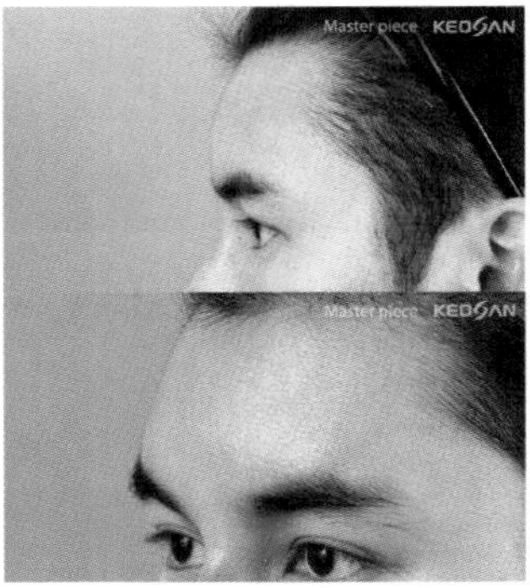

Before

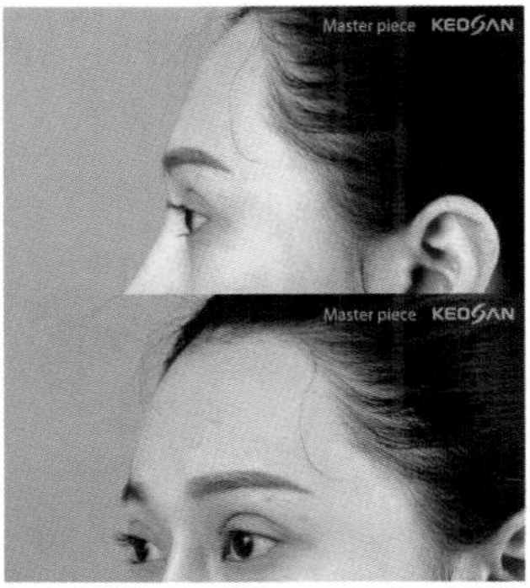

After

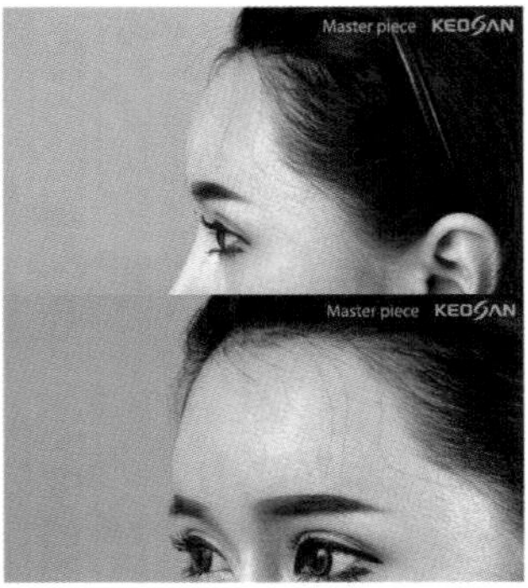

159

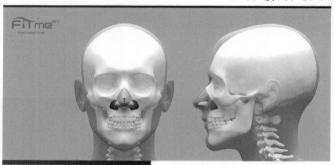

# Fit ME **Mid-face**

## 100% Customized Mid-face Implant
### fit to bone.

* Perfectly fit to bone structure.
* Helps to make volume on paranasal area for reconstruction or beauty purpose.
* Reduce Implant migration and Make proper volumes.

**Design**

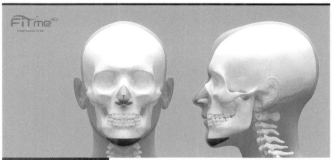

# Fit ME **Chin**

## 100% Customized Chin Implant
**fit to bone.**

- As it is manufactured based on bone, it fits perfectly.
- Natural Lines and great result.
- Highly recommend to unbalanced chin patient.

**Design**

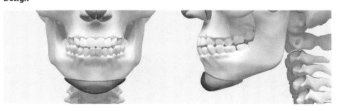

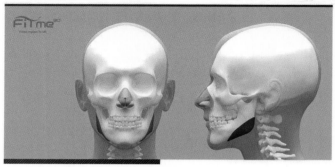

# Fit ME **Mandible**

## 100% Customized Mandible Implant
**fit to bone.**

- Perfectly fit to bone structure.
- Can manufacture mandible implants to be balanced on both side.
- Recommend to patient who needs balanced mandible or more volume on mandible.

**Design**

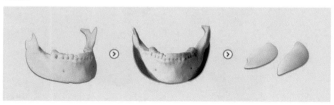

# Fit ME **body**

## 100% Customized body Implant.

FIT ME BODY is the prosthesis which is manufactured based on safe material and high technical skill, customized for affected area of targeted patient, to restore or supplement defective area generated by innate or acquired factor.

- It can be applied to Poland syndrome, calf, shoulder and so on.
- No limit for size and design.
- Doctors can pre-check implant design before manufacturing silicone implants.

**Poland syndrom**

**Calf Implant**

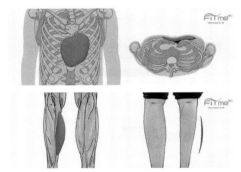

**The other body implants**

Please contact KEOSAN for manufacturing customized body implants. There is no limit for size and design.

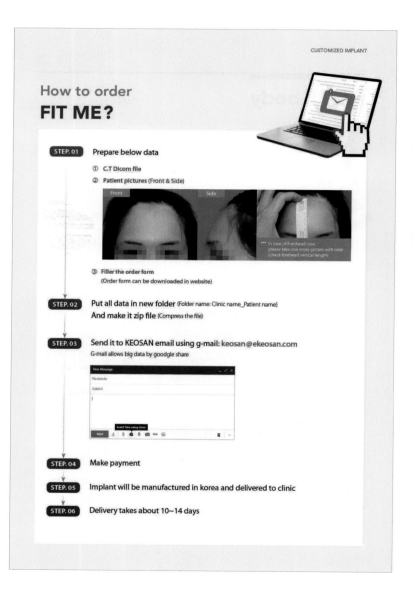

CUSTOMIZED IMPLANT

## How to order
# FIT ME?

**STEP. 01**  Prepare below data

① C.T Dicom file

② Patient pictures (Front & Side)

Front    Side

*** In case of Forehead case,
please take one more picture with ruler
(check forehead vertical length)

③ Filler the order form
(Order form can be downloaded in website)

**STEP. 02**  Put all data in new folder (Folder name: Clinic name_Patient name)
And make it zip file (Compress the file)

**STEP. 03**  Send it to KEOSAN email using g-mail: keosan@ekeosan.com
G-mail allows big data by goodgle share

**STEP. 04**  Make payment

**STEP. 05**  Implant will be manufactured in korea and delivered to clinic

**STEP. 06**  Delivery takes about 10~14 days

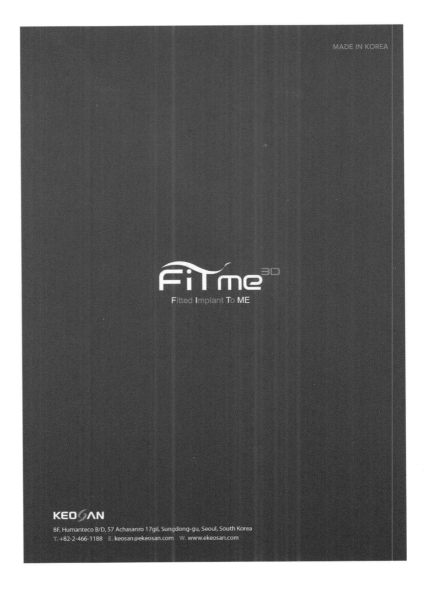

# Premium Facial Implant

**MISTI**
Most Improved Silicone Technique Implant

**KEOSAN**

## [ OVERVIEW ]

Together with MISTI, Beauty is YOURS!

Most Improved Silicone Technique Implant

KEOSAN specializes in manufacturing silicone implants for Plastic and Reconstruction Surgery.
KEOSAN provides premium silicone implants for patient's beauty and safety.

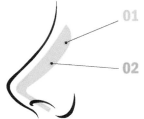

**01** ● 20°(Soft) and 40°(Hard) degree of Hardness
- Choose Hardness depending on doctor's opinion.
- Last two digit number of each model name represents Hardness, such as 20° and 40°.

**02** ● Perfect Design for Asians
- Minimize carving
- Especially for Asians who want high volume on nose, KEOSAN made special models to supplement Asian's dorsum.
- '+' is plus model which has thinker bottom by filling the gap. Design is same with original model.

**03** ● Anatomical Design with COMBI Model
- Dorsum is Hard (40°) and Tip is Soft (10°) based on anatomical design.
- Most natural and Flexible Design.

**Premium Boat type**

Most popular Boat type styles

**Premium L type**

Most popular L tyle styles

**Premium Combi**

Natural Line
from Glabella to Tip.

**Premium SWAN**

Anatomical Design.
Soft for tip and Hard for bone(glabella).

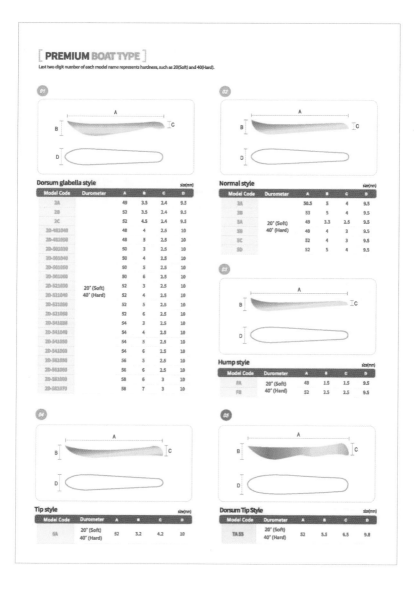

**[ PREMIUM BOAT TYPE ]**

Last two digit number of each model name represents hardness, such as 20(Soft) and 40(Hard).

**Dorsum glabella style** — size(mm)

| Model Code | Durometer | A | B | C | D |
|---|---|---|---|---|---|
| 2A | | 49 | 3.5 | 2.4 | 9.5 |
| 2B | | 52 | 3.5 | 2.4 | 9.5 |
| 2C | | 52 | 4.5 | 2.4 | 9.5 |
| 20-481040 | | 48 | 4 | 2.5 | 10 |
| 20-481050 | | 48 | 5 | 2.5 | 10 |
| 20-501030 | | 50 | 3 | 2.5 | 10 |
| 20-501040 | | 50 | 4 | 2.5 | 10 |
| 20-501050 | | 50 | 5 | 2.5 | 10 |
| 20-501060 | | 50 | 6 | 2.5 | 10 |
| 20-521030 | 20°(Soft) | 52 | 3 | 2.5 | 10 |
| 20-521040 | 40°(Hard) | 52 | 4 | 2.5 | 10 |
| 20-521050 | | 52 | 5 | 2.5 | 10 |
| 20-521060 | | 52 | 6 | 2.5 | 10 |
| 20-541030 | | 54 | 3 | 2.5 | 10 |
| 20-541040 | | 54 | 4 | 2.5 | 10 |
| 20-541050 | | 54 | 5 | 2.5 | 10 |
| 20-541060 | | 54 | 6 | 2.5 | 10 |
| 20-561050 | | 56 | 5 | 2.5 | 10 |
| 20-561060 | | 56 | 6 | 2.5 | 10 |
| 20-581060 | | 58 | 6 | 3 | 10 |
| 20-581070 | | 58 | 7 | 3 | 10 |

**Normal style** — size(mm)

| Model Code | Durometer | A | B | C | D |
|---|---|---|---|---|---|
| 3A | | 50.5 | 5 | 4 | 9.5 |
| 3B | | 53 | 5 | 4 | 9.5 |
| 3A | 20°(Soft) | 49 | 3.3 | 2.5 | 9.5 |
| 3B | 40°(Hard) | 49 | 4 | 3 | 9.5 |
| 3C | | 52 | 4 | 3 | 9.5 |
| 3D | | 52 | 5 | 4 | 9.5 |

**Hump style** — size(mm)

| Model Code | Durometer | A | B | C | D |
|---|---|---|---|---|---|
| HA | 20°(Soft) | 49 | 1.5 | 1.5 | 9.5 |
| HB | 40°(Hard) | 52 | 2.5 | 2.5 | 9.5 |

**Tip style** — size(mm)

| Model Code | Durometer | A | B | C | D |
|---|---|---|---|---|---|
| 5A | 20°(Soft) 40°(Hard) | 52 | 3.2 | 4.2 | 10 |

**Dorsum Tip Style** — size(mm)

| Model Code | Durometer | A | B | C | D |
|---|---|---|---|---|---|
| TA 55 | 20°(Soft) 40°(Hard) | 52 | 5.5 | 6.5 | 9.8 |

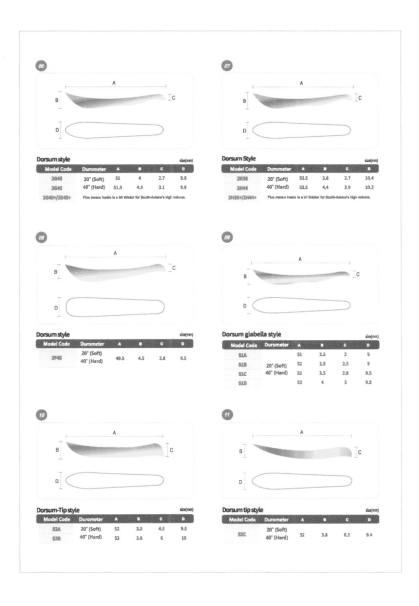

**Dorsum style** size(mm)

| Model Code | Durometer | A | B | C | D |
|---|---|---|---|---|---|
| 2G40 | 20° (Soft) | 51 | 4 | 2.7 | 9.8 |
| 2G45 | 40° (Hard) | 51.5 | 4.5 | 3.1 | 9.8 |
| 2G40+/2G45+ | | Plus means inside is a bit thicker for South-Asians's high volume. | | | |

**Dorsum Style** size(mm)

| Model Code | Durometer | A | B | C | D |
|---|---|---|---|---|---|
| 2H36 | 20° (Soft) | 53.5 | 3.6 | 2.7 | 10.4 |
| 2H44 | 40° (Hard) | 53.5 | 4.4 | 3.9 | 10.2 |
| 2H36+/2H44+ | | Plus means inside is a bit thicker for South-Asians's high volume. | | | |

**Dorsum style** size(mm)

| Model Code | Durometer | A | B | C | D |
|---|---|---|---|---|---|
| 2F45 | 20° (Soft) 40° (Hard) | 49.5 | 4.5 | 3.8 | 9.5 |

**Dorsum glabella style** size(mm)

| Model Code | Durometer | A | B | C | D |
|---|---|---|---|---|---|
| S1A | | 51 | 2.3 | 2 | 9 |
| S1B | 20° (Soft) | 52 | 2.5 | 2.5 | 9 |
| S1C | 40° (Hard) | 52 | 3.5 | 2.8 | 9.5 |
| S1D | | 53 | 4 | 3 | 9.5 |

**Dorsum-Tip style** size(mm)

| Model Code | Durometer | A | B | C | D |
|---|---|---|---|---|---|
| S3A | 20° (Soft) | 52 | 3.5 | 4.5 | 9.5 |
| S3B | 40° (Hard) | 53 | 3.8 | 6 | 10 |

**Dorsum tip style** size(mm)

| Model Code | Durometer | A | B | C | D |
|---|---|---|---|---|---|
| S2C | 20° (Soft) 40° (Hard) | 52 | 3.8 | 6.5 | 9.4 |

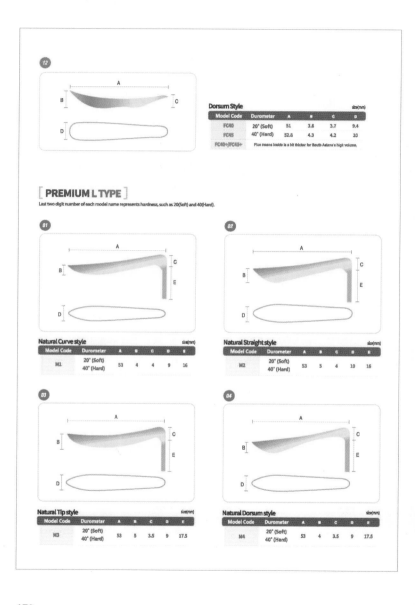

**12**

**Dorsum Style** size(mm)

| Model Code | Durometer | A | B | C | D |
|---|---|---|---|---|---|
| FC40 | 20° (Soft) | 51 | 3.8 | 3.7 | 9.4 |
| FC4S | 40° (Hard) | 52.6 | 4.3 | 4.2 | 10 |
| FC40+/FC4S+ | Plus means inside is a bit thicker for South-Asians's high volume. | | | | |

## [ PREMIUM L TYPE ]
Last two digit number of each model name represents hardness, such as 20(Soft) and 40(Hard).

**01**

**Natural Curve style** size(mm)

| Model Code | Durometer | A | B | C | D | E |
|---|---|---|---|---|---|---|
| M1 | 20° (Soft) 40° (Hard) | 53 | 4 | 4 | 9 | 16 |

**02**

**Natural Straight style** size(mm)

| Model Code | Durometer | A | B | C | D | E |
|---|---|---|---|---|---|---|
| M2 | 20° (Soft) 40° (Hard) | 53 | 5 | 4 | 10 | 16 |

**03**

**Natural Tip style** size(mm)

| Model Code | Durometer | A | B | C | D | E |
|---|---|---|---|---|---|---|
| M3 | 20° (Soft) 40° (Hard) | 53 | 5 | 3.5 | 9 | 17.5 |

**04**

**Natural Dorsum style** size(mm)

| Model Code | Durometer | A | B | C | D | E |
|---|---|---|---|---|---|---|
| M4 | 20° (Soft) 40° (Hard) | 53 | 4 | 3.5 | 9 | 17.5 |

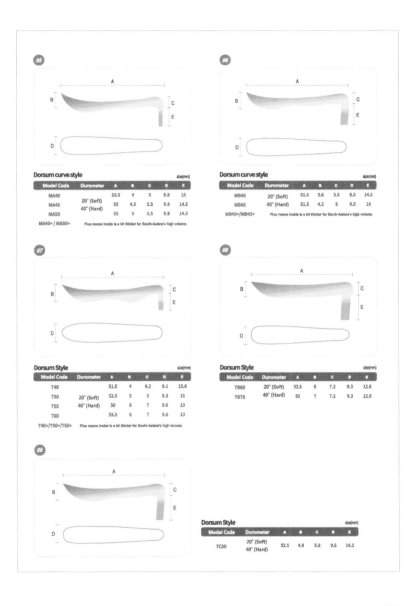

**05**

### Dorsum curve style
size(mm)

| Model Code | Durometer | A | B | C | D | E |
|---|---|---|---|---|---|---|
| MA40 | 20° (Soft) | 53.5 | 4 | 5 | 9.8 | 15 |
| MA45 | 20° (Soft) 40° (Hard) | 55 | 4.5 | 5.5 | 9.8 | 14.5 |
| MA50 | | 55 | 5 | 5.5 | 9.8 | 14.5 |

MA40+ / MA50+    Plus means inside is a bit thicker for South-Asians's high volume.

**06**

### Dorsum curve style
size(mm)

| Model Code | Durometer | A | B | C | D | E |
|---|---|---|---|---|---|---|
| MB40 | 20° (Soft) | 51.5 | 3.6 | 5.5 | 9.5 | 14.5 |
| MB45 | 40° (Hard) | 51.5 | 4.2 | 6 | 9.5 | 14 |

MB40+/MB45+    Plus means inside is a bit thicker for South-Asians's high volume.

**07**

### Dorsum Style
size(mm)

| Model Code | Durometer | A | B | C | D | E |
|---|---|---|---|---|---|---|
| T40 | | 51.5 | 4 | 4.2 | 9.1 | 15.8 |
| T50 | 20° (Soft) | 52.5 | 5 | 5 | 9.3 | 15 |
| T55 | 40° (Hard) | 50 | 6 | 7 | 9.6 | 13 |
| T60 | | 53.5 | 6 | 7 | 9.6 | 13 |

T40+/T50+/T60+    Plus means inside is a bit thicker for South-Asians's high volume.

**08**

### Dorsum Style
size(mm)

| Model Code | Durometer | A | B | C | D | E |
|---|---|---|---|---|---|---|
| TB60 | 20° (Soft) | 52.5 | 6 | 7.2 | 9.3 | 12.8 |
| TB70 | 40° (Hard) | 53 | 7 | 7.2 | 9.3 | 12.8 |

**09**

### Dorsum Style
size(mm)

| Model Code | Durometer | A | B | C | D | E |
|---|---|---|---|---|---|---|
| TC50 | 20° (Soft) 40° (Hard) | 52.5 | 4.8 | 5.8 | 9.5 | 14.2 |

## [ PREMIUM COMBI ]

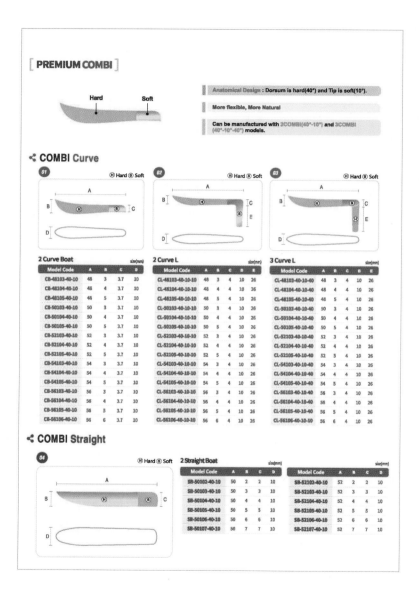

Anatomical Design : Dorsum is hard(40°) and Tip is soft(10°).

More flexible, More Natural

Can be manufactured with 2COMBI(40°-10°) and 3COMBI (40°-10°-40°) models.

## ◁ COMBI Curve

**01** Ⓗ Hard Ⓢ Soft  **02** Ⓗ Hard Ⓢ Soft  **03** Ⓗ Hard Ⓢ Soft

### 2 Curve Boat  size(mm)

| Model Code | A | B | C | D |
|---|---|---|---|---|
| CB-48103-40-10 | 48 | 3 | 3.7 | 10 |
| CB-48104-40-10 | 48 | 4 | 3.7 | 10 |
| CB-48105-40-10 | 48 | 5 | 3.7 | 10 |
| CB-50103-40-10 | 50 | 3 | 3.7 | 10 |
| CB-50104-40-10 | 50 | 4 | 3.7 | 10 |
| CB-50105-40-10 | 50 | 5 | 3.7 | 10 |
| CB-52103-40-10 | 52 | 3 | 3.7 | 10 |
| CB-52104-40-10 | 52 | 4 | 3.7 | 10 |
| CB-52105-40-10 | 52 | 5 | 3.7 | 10 |
| CB-54103-40-10 | 54 | 3 | 3.7 | 10 |
| CB-54104-40-10 | 54 | 4 | 3.7 | 10 |
| CB-54105-40-10 | 54 | 5 | 3.7 | 10 |
| CB-56103-40-10 | 56 | 3 | 3.7 | 10 |
| CB-56104-40-10 | 56 | 4 | 3.7 | 10 |
| CB-56105-40-10 | 56 | 5 | 3.7 | 10 |
| CB-56106-40-10 | 56 | 6 | 3.7 | 10 |

### 2 Curve L  size(mm)

| Model Code | A | B | C | D | E |
|---|---|---|---|---|---|
| CL-48103-40-10-10 | 48 | 3 | 4 | 10 | 26 |
| CL-48104-40-10-10 | 48 | 4 | 4 | 10 | 26 |
| CL-48105-40-10-10 | 48 | 5 | 4 | 10 | 26 |
| CL-50103-40-10-10 | 50 | 3 | 4 | 10 | 26 |
| CL-50104-40-10-10 | 50 | 4 | 4 | 10 | 26 |
| CL-50105-40-10-10 | 50 | 5 | 4 | 10 | 26 |
| CL-52103-40-10-10 | 52 | 3 | 4 | 10 | 26 |
| CL-52104-40-10-10 | 52 | 4 | 4 | 10 | 26 |
| CL-52105-40-10-10 | 52 | 5 | 4 | 10 | 26 |
| CL-54103-40-10-10 | 54 | 3 | 4 | 10 | 26 |
| CL-54104-40-10-10 | 54 | 4 | 4 | 10 | 26 |
| CL-54105-40-10-10 | 54 | 5 | 4 | 10 | 26 |
| CL-56103-40-10-10 | 56 | 3 | 4 | 10 | 26 |
| CL-56104-40-10-10 | 56 | 4 | 4 | 10 | 26 |
| CL-56105-40-10-10 | 56 | 5 | 4 | 10 | 26 |
| CL-56106-40-10 | 56 | 6 | 4 | 10 | 26 |

### 3 Curve L  size(mm)

| Model Code | A | B | C | D | E |
|---|---|---|---|---|---|
| CL-48103-40-10-60 | 48 | 3 | 4 | 10 | 26 |
| CL-48104-40-10-40 | 48 | 4 | 4 | 10 | 26 |
| CL-48105-40-10-40 | 48 | 5 | 4 | 10 | 26 |
| CL-50103-40-10-40 | 50 | 3 | 4 | 10 | 26 |
| CL-50104-40-10-40 | 50 | 4 | 4 | 10 | 26 |
| CL-50105-40-10-40 | 50 | 5 | 4 | 10 | 26 |
| CL-52103-40-10-40 | 52 | 3 | 4 | 10 | 26 |
| CL-52104-40-10-40 | 52 | 4 | 4 | 10 | 26 |
| CL-52105-40-10-40 | 52 | 5 | 4 | 10 | 26 |
| CL-54103-40-10-40 | 54 | 3 | 4 | 10 | 26 |
| CL-54104-40-10-40 | 54 | 4 | 4 | 10 | 26 |
| CL-56103-40-18-40 | 56 | 3 | 4 | 10 | 26 |
| CL-56104-40-10-40 | 56 | 4 | 4 | 10 | 26 |
| CL-56105-40-10-40 | 56 | 5 | 4 | 10 | 26 |
| CL-56106-40-10-10 | 56 | 6 | 4 | 10 | 26 |

## ◁ COMBI Straight

**04** Ⓗ Hard Ⓢ Soft

### 2 Straight Boat  size(mm)

| Model Code | A | B | C | D | Model Code | A | B | C | D |
|---|---|---|---|---|---|---|---|---|---|
| SB-50102-40-10 | 50 | 2 | 2 | 10 | SB-52102-40-10 | 52 | 2 | 2 | 10 |
| SB-50103-40-10 | 50 | 3 | 3 | 10 | SB-52103-40-10 | 52 | 3 | 3 | 10 |
| SB-50104-40-10 | 50 | 4 | 4 | 10 | SB-52104-40-10 | 52 | 4 | 4 | 10 |
| SB-50105-40-10 | 50 | 5 | 5 | 10 | SB-52105-40-10 | 52 | 5 | 5 | 10 |
| SB-50106-40-10 | 50 | 6 | 6 | 10 | SB-52106-40-10 | 52 | 6 | 6 | 10 |
| SB-50107-40-10 | 50 | 7 | 7 | 10 | SB-52107-40-10 | 52 | 7 | 7 | 10 |

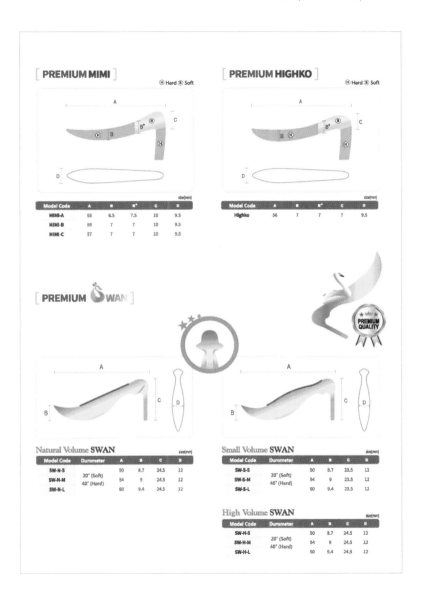

## [ PREMIUM MIMI ]

Ⓗ Hard Ⓢ Soft

size(mm)

| Model Code | A | B | B* | C | D |
|---|---|---|---|---|---|
| MIMI-A | 55 | 6.5 | 7.5 | 10 | 9.5 |
| MIMI-B | 55 | 7 | 7 | 10 | 9.5 |
| MIMI-C | 57 | 7 | 7 | 10 | 9.5 |

## [ PREMIUM HIGHKO ]

Ⓗ Hard Ⓢ Soft

size(mm)

| Model Code | A | B | B* | C | D |
|---|---|---|---|---|---|
| Highko | 56 | 7 | 7 | 7 | 9.5 |

## [ PREMIUM SWAN ]

PREMIUM QUALITY

### Natural Volume SWAN

size(mm)

| Model Code | Durometer | A | B | C | D |
|---|---|---|---|---|---|
| SW-N-S | 20° (Soft) 40° (Hard) | 50 | 8.7 | 24.5 | 12 |
| SW-N-M | | 54 | 9 | 24.5 | 12 |
| SW-N-L | | 60 | 9.4 | 24.5 | 12 |

### Small Volume SWAN

size(mm)

| Model Code | Durometer | A | B | C | D |
|---|---|---|---|---|---|
| SW-S-S | 20° (Soft) 40° (Hard) | 50 | 8.7 | 23.5 | 12 |
| SW-S-M | | 54 | 9 | 23.5 | 12 |
| SW-S-L | | 60 | 9.4 | 23.5 | 12 |

### High Volume SWAN

size(mm)

| Model Code | Durometer | A | B | C | D |
|---|---|---|---|---|---|
| SW-H-S | 20° (Soft) 40° (Hard) | 50 | 8.7 | 24.5 | 12 |
| SW-H-M | | 54 | 9 | 24.5 | 12 |
| SW-H-L | | 60 | 9.4 | 24.5 | 12 |

## [ **CHIN** IMPLANT ]

### ◀ Short type

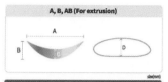

| Model Code | Durometer | A | B | C | D |
|---|---|---|---|---|---|
| A1 | | 40 | 15 | 4 | 15 |
| B1 | | 42 | 15 | 5 | 15 |
| AB 4460 | 30° | 44 | 17 | 6 | 16 |
| AB 4470 | | 44 | 17 | 7 | 16 |
| AB 4480 | | 44 | 17 | 8 | 16 |

size(mm)

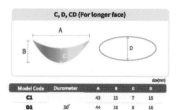

| Model Code | Durometer | A | B | C | D |
|---|---|---|---|---|---|
| C1 | | 43 | 15 | 7 | 15 |
| D1 | 30° | 44 | 16 | 8 | 16 |
| CD 4360 | | 43 | 15 | 6 | 15 |

size(mm)

### ◀ Extended type

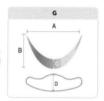

| Model Code | Durometer | A | B | C | D |
|---|---|---|---|---|---|
| E1 | | 58 | 44 | 9.5 | 15 |
| F1 | 30° | 53.5 | 38 | 8 | 14 |
| G1 | | 55 | 14.9 | 7.5 | 16 |

size(mm)

## [ **MALAR** IMPLANT ]

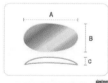

| Model Code | Durometer | A | B | C |
|---|---|---|---|---|
| ET5 | | 32 | 22 | 5 |
| ET6 | 10° | 32 | 22 | 6 |
| ET7 | | 32 | 22 | 7 |

size(mm)

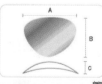

| Model Code | Durometer | A | B | C |
|---|---|---|---|---|
| HT4 | | 33 | 26 | 4 |
| HT5 | 10° | 33 | 26 | 5 |
| HT6 | | 33 | 26 | 6 |

size(mm)

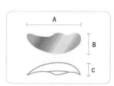

| Model Code | Durometer | A | B | C |
|---|---|---|---|---|
| AT45S | | 46 | 18.5 | 4.5 |
| AT55S | | 46 | 18.5 | 5.5 |
| AT65S | 10° | 46 | 18.5 | 6.5 |
| AT45L | | 51 | 21 | 4.5 |
| AT55L | | 51 | 21 | 5.5 |
| AT65L | | 51 | 21 | 6.5 |

size(mm)

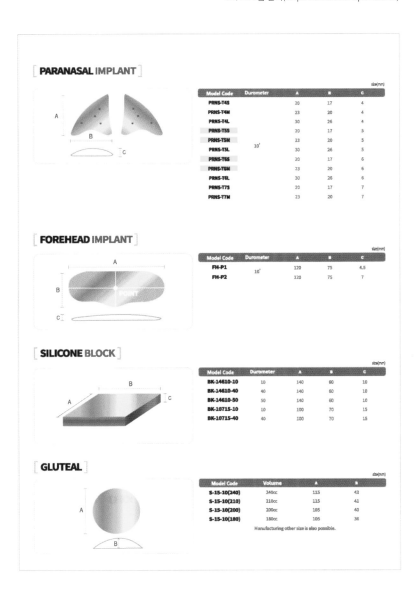

## [ PARANASAL IMPLANT ]

size(mm)

| Model Code | Durometer | A | B | C |
|---|---|---|---|---|
| PRNS-T4S | | 20 | 17 | 4 |
| PRNS-T4M | | 23 | 20 | 4 |
| PRNS-T4L | | 30 | 26 | 4 |
| PRNS-T5S | | 20 | 17 | 5 |
| PRNS-T5M | 10° | 23 | 20 | 5 |
| PRNS-T5L | | 30 | 26 | 5 |
| PRNS-T6S | | 20 | 17 | 6 |
| PRNS-T6M | | 23 | 20 | 6 |
| PRNS-T6L | | 30 | 26 | 6 |
| PRNS-T7S | | 20 | 17 | 7 |
| PRNS-T7M | | 23 | 20 | 7 |

## [ FOREHEAD IMPLANT ]

size(mm)

| Model Code | Durometer | A | B | C |
|---|---|---|---|---|
| FH-P1 | 10° | 120 | 75 | 4.5 |
| FH-P2 | | 120 | 75 | 7 |

## [ SILICONE BLOCK ]

size(mm)

| Model Code | Durometer | A | B | C |
|---|---|---|---|---|
| BK-14610-10 | 10 | 140 | 60 | 10 |
| BK-14610-40 | 40 | 140 | 60 | 10 |
| BK-14610-50 | 50 | 140 | 60 | 10 |
| BK-10715-10 | 10 | 100 | 70 | 15 |
| BK-10715-40 | 40 | 100 | 70 | 15 |

## [ GLUTEAL ]

size(mm)

| Model Code | Volume | A | B |
|---|---|---|---|
| S-15-10(240) | 240cc | 115 | 43 |
| S-15-10(210) | 210cc | 115 | 41 |
| S-15-10(200) | 200cc | 105 | 40 |
| S-15-10(180) | 180cc | 105 | 36 |

Manufacturing other size is also possible.

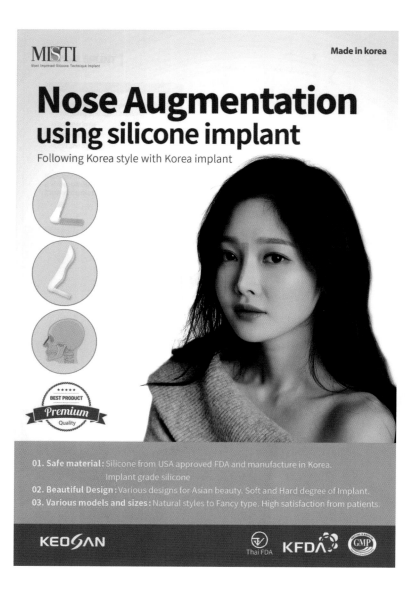

# ■ BISTOOL

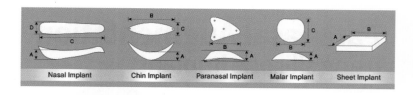

Nasal Implant    Chin Implant    Paranasal Implant    Malar Implant    Sheet Implant

## Nasal Implant

| CODE | Dimension | | |
|---|---|---|---|
| | A | C | D |
| L35 | 3.5 | 53 | 9.8 |
| L40 | 4 | 53.5 | 9.8 |
| L45 | 4.5 | 55 | 9.8 |
| L50 | 5 | 55 | 10.8 |
| BL35 | 3.5 | 50.5 | 9.8 |
| BL40 | 4 | 51 | 9.8 |
| BL45 | 4.5 | 51.5 | 9.8 |
| BL50 | 5 | 51.5 | 10.8 |
| BS30 | 3 | 48 | 9.8 |
| BS35 | 3.5 | 48.5 | 9.8 |
| BS40 | 4 | 49.5 | 9.8 |
| BS45 | 4.5 | 49.5 | 9.8 |
| TA40 | 4 | 51 | 9.5 |
| TA50 | 5 | 51.5 | 9.5 |
| TA60 | 6 | 52.5 | 9.5 |
| TA70 | 7 | 53 | 9.5 |
| I20 | 1.8 | 52 | 9.3 |
| I25 | 2.3 | 51 | 9.3 |
| I30 | 2.7 | 50.5 | 9.3 |
| I35 | 3.3 | 50.5 | 9.3 |

| CODE | Dimension | | |
|---|---|---|---|
| | A | C | D |
| I40 | 3.8 | 51.5 | 9.3 |
| I50 | 4.8 | 52.5 | 9.5 |
| M30 | 2.9 | 53 | 9.9 |
| M40 | 3.6 | 53.5 | 10.4 |
| M45 | 4.4 | 53.5 | 10.2 |
| M50 | 4.8 | 54.5 | 10.5 |
| M60 | 5.7 | 58.3 | 10.7 |
| M70 | 7 | 59.5 | 10.7 |
| M80 | 8 | 59.5 | 10.9 |
| S30 | 2.7 | 49.5 | 9 |
| S35 | 3.3 | 49.5 | 9.3 |
| S40 | 3.6 | 51.5 | 9.5 |
| S45 | 4.2 | 51.5 | 9.5 |
| T40 | 4 | 49.5 | 9.5 |
| T45 | 4.3 | 49.5 | 9.7 |
| T50 | 4.7 | 49.5 | 10.8 |
| D35 | 3.3 | 50 | 9.4 |
| D40 | 3.8 | 51 | 9.4 |
| D45 | 4.3 | 52.8 | 10 |
| D50 | 4.8 | 53.5 | 10 |

| CODE | Dimension | | |
|---|---|---|---|
| | A | C | D |
| U40 | 4 | 51.5 | 9.1 |
| U50 | 5 | 52.5 | 9.3 |
| U60 | 6 | 53.5 | 9.6 |
| U70 | 7 | 54.5 | 10 |
| F30 | 3 | 50.5 | 9.5 |
| F35 | 3.5 | 50.5 | 9.5 |
| F40 | 4 | 51 | 9.6 |
| F45 | 4.5 | 51 | 9.7 |
| F50 | 5 | 52 | 9.7 |
| F55 | 5.5 | 52 | 9.8 |
| ST30 | 3 | 49 | 8.6 |
| ST40 | 4 | 49 | 8.8 |
| ST50 | 5 | 49.5 | 9.1 |
| N30 | 3 | 50 | 9.1 |
| N32 | 3.2 | 51.5 | 9.3 |
| N35 | 3.5 | 52 | 10 |
| N45 | 3.9 | 52.5 | 10 |
| NB35 | 2.3 | 52 | 9 |
| NB45 | 2.9 | 52 | 9 |
| NB55 | 3.8 | 53.5 | 9.4 |

## Chin Implant

| CODE | Dimension | | |
|---|---|---|---|
| | A | C | D |
| C40 | 4 | 36 | 14.5 |
| C50 | 5 | 37.5 | 15 |
| C60 | 6 | 37.5 | 14 |
| C65 | 6.5 | 36 | 14.5 |
| C75 | 7.5 | 37.5 | 15 |
| C85 | 8.5 | 58 | 13 |
| C90 | 8 | 49.5 | 13.5 |
| C95 | 8.5 | 50.5 | 12.5 |
| C100 | 10 | 59 | 15.5 |

## Paranasal Implant

| CODE | Dimension | |
|---|---|---|
| | A | B |
| H40 | 4 | 13 |
| H50 | 5 | 13 |
| H55 | 5.5 | 14.5 |
| P35 | 3.5 | 19 |
| P45 | 4.5 | 19 |
| P50 | 5 | 21 |
| P55 | 5.5 | 21 |
| P60 | 6 | 21.5 |
| P65 | 6.5 | 21 |
| P70 | 7 | 21.5 |

## Malar Implant

| CODE | Dimension | | |
|---|---|---|---|
| | A | B | C |
| A1-35 | 3.5 | 27 | 23 |
| A1-45 | 4.5 | 27 | 23 |
| A2-50 | 5 | 25 | 24 |
| A2-55 | 5.5 | 25 | 24 |
| A3-45 | 4.5 | 27 | 24 |
| A3-50 | 5 | 27 | 24 |

## Sheet Implant

| CODE | Dimension | |
|---|---|---|
| | A | B |
| SH | 50 | 59.5 |

② 가슴 및 엉덩이

   i)  MENTOR  (USA)

   ii) ALLERGAN (USA)

   iii) POLYTECH (GERMANY)

   iv) SEBBIN (FRANCE)

   v)  SILIMED (BRAZIL)

   vi) BellaGel (KOREA)

# ▌가슴 보형물의 분류

| 내용물 | 모양 | 표면 재질 |
|---|---|---|

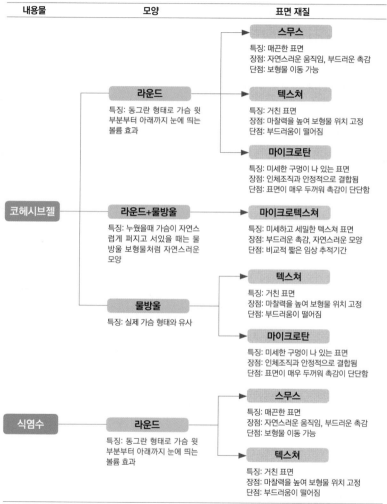

**스무스**
특징: 매끈한 표면
장점: 자연스러운 움직임, 부드러운 촉감
단점: 보형물 이동 가능

**텍스쳐**
특징: 거친 표면
장점: 마찰력을 높여 보형물 위치 고정
단점: 부드러움이 떨어짐

**마이크로탄**
특징: 미세한 구멍이 나 있는 표면
장점: 인체조직과 안정적으로 결합됨
단점: 표면이 매우 두꺼워 촉감이 단단함

**라운드**
특징: 동그란 형태로 가슴 윗부분부터 아래까지 눈에 띄는 볼륨 효과

**마이크로텍스쳐**
특징: 미세하고 세밀한 텍스쳐 표면
장점: 부드러운 촉감, 자연스러운 모양
단점: 비교적 짧은 임상 추적기간

**라운드+물방울**
특징: 누웠을때 가슴이 자연스럽게 퍼지고 서있을 때는 물방울 보형물처럼 자연스러운 모양

**텍스쳐**
특징: 거친 표면
장점: 마찰력을 높여 보형물 위치 고정
단점: 부드러움이 떨어짐

**마이크로탄**
특징: 미세한 구멍이 나 있는 표면
장점: 인체조직과 안정적으로 결합됨
단점: 표면이 매우 두꺼워 촉감이 단단함

**물방울**
특징: 실제 가슴 형태와 유사

**스무스**
특징: 매끈한 표면
장점: 자연스러운 움직임, 부드러운 촉감
단점: 보형물 이동 가능

**텍스쳐**
특징: 거친 표면
장점: 마찰력을 높여 보형물 위치 고정
단점: 부드러움이 떨어짐

**코헤시브젤**

**식염수**

**라운드**
특징: 동그란 형태로 가슴 윗부분부터 아래까지 눈에 띄는 볼륨 효과

자료: 한국투자증권

184

## ■ 가슴 보형물의 회사별 현황

| 기업 | 브랜드 | 표면재질 | 미국 | 한국 | 중국 |
|---|---|---|---|---|---|
| 한스바이오메드 (한국) | Bellagel | 스무스 | | ○ | ○ |
| | | 텍스쳐 | | ○ | ○ |
| | | 마이크로탄 | | | |
| | | 마이크로텍스쳐 | | ○ | |
| Allergan (아일랜드) | Natrelle | 스무스 | ○ | ○ | ○ |
| | | 텍스쳐 | ○ | ○ | ○ |
| | | 마이크로탄 | | | |
| | | 마이크로텍스쳐 | | | |
| Mentor (미국) | Mentor | 스무스 | ○ | ○ | ○ |
| | | 텍스쳐 | ○ | ○ | ○ |
| | | 마이크로탄 | | | |
| | | 마이크로텍스쳐 | | | |
| Establishment Lab (코스타리카) | Motiva | 스무스 | | ○ | |
| | | 텍스쳐 | | | |
| | | 마이크로탄 | | | |
| | | 마이크로텍스쳐 | | ○ | |
| GC Aesthetic (아일랜드) | Nagor Eurosilicone | 스무스 | | ○ | ○ |
| | | 텍스쳐 | | ○ | ○ |
| | | 마이크로탄 | | | |
| | | 마이크로텍스쳐 | | ○ | |
| Sebbin (프랑스) | Sebbin | 스무스 | | ○ | |
| | | 텍스쳐 | | ○ | |
| | | 마이크로탄 | | | |
| | | 마이크로텍스쳐 | | ○ | |
| Polytech (독일) | Polytech | 스무스 | | ○ | |
| | | 텍스쳐 | | | |
| | | 마이크로탄 | | ○ | |
| | | 마이크로텍스쳐 | | ○ | |
| Sientra (브라질) | Silimed OPUS | 스무스 | ○ | ○ | ○ |
| | | 텍스쳐 | ○ | ○ | ○ |
| | | 마이크로탄 | | | |
| | | 마이크로텍스쳐 | | | |
| 세운메디칼 (한국) | Unigel | 스무스 | | ○ | |
| | | 텍스쳐 | | ○ | |
| | | 마이크로탄 | | | |
| | | 마이크로텍스쳐 | | | |

자료: CFDA, FDA, 식약처, 한국투자증권

# ■ MENTOR (USA)

MEMORYGEL™ BREAST IMPLANTS

# MemoryGel™
**BREAST IMPLANTS**

A More Evolved Implant

- Strict US and EU manufacturing standards
- Highly compliant shell for ease of placement
- Lifetime product replacement policy
- Patient Safe coverage limited warranty or Patient Care Promise limited warranty†
- Moderate, Moderate Plus, High, and Ultra High projections
- Proprietary silicone gel formula for a natural touch that resembles breast tissue

About MemoryGel™ Breast Implants

MENTOR® MemoryGel™ Breast Implants feature a proprietary cohesive silicone gel formulation used to fill all MENTOR® Silicone Gel-Filled Breast Implants around the world. By varying the components of the gel, Mentor is able to produce a wide selection of products ranging from very soft to very firm.

### MemoryGel™ Breast Implants Product Scale

| Product Profile | Cohesive I™ | Cohesive II™ | Cohesive III™ |
|---|---|---|---|
| Round Moderate Plus | X | X | |
| Round Moderate | X | X | |
| Round High | X | X | |
| Round Ultra High | X | | |
| CPG™ Gel Breast Implant | | | X |
| Round BECKER™ 25 Expander/Breast Implant | X | | |
| Round BECKER™ 50 Expander/Breast Implant | X | | |
| CONTOUR PROFILE™ BECKER™ 35 Expander/Breast Implant | | X | |

† In case of eligibility, depending on the care of surgery, the implant will fall under one of the above warranties

- 1 -

MEMORYGEL™ BREAST IMPLANTS

All Cohesive, All the Time.™

**Advanced MemoryGel™ Breast Implants.
The more evolved implant.**

All MENTOR® Silicone Gel-Filled Breast Implants contain gel that is cohesive, safe and aesthetically pleasing.

### Cohesive I™

The standard cohesive level gel used in MENTOR® Breast Implants. This is the softest gel and has been preferred for years in textured and smooth Round Moderate, Moderate Plus, High, and Ultra High Profile Gel Breast Implants as well as the BECKER™ Expander/Breast Implants.

### Cohesive II™

A slightly firmer gel, for surgeons wanting a firmer feeling implant. This gel is used in textured Round Moderate, Moderate Plus, High Profile Gel Breast Implants and CONTOUR PROFILE™ BECKER™ Expander/Breast Implants.

### Cohesive III™

Mentor's most cohesive gel, providing shape retention with a pleasing level of firmness for optimal aesthetic results. This gel is used in the MENTOR® CPG™ Gel Breast Implants.

- 2 -

## MEMORYGEL™ BREAST IMPLANTS

Round Gel Breast Implants,
Cohesive I™

### SILTEX™ Round Breast Implants, Moderate Profile, Cohesive I™

| Volume | Diameter | Projection | Catalog # | Resterilizable Gel Sizer* |
|--------|----------|------------|-----------|---------------------------|
| 100 cc | 8,8 cm | 2,5 cm | 354-1007 | RSZ-7100 |
| 125 cc | 9,3 cm | 2,8 cm | 354-1257 | RSZ-7125 |
| 150 cc | 10,2 cm | 2,7 cm | 354-1507 | RSZ-7150 |
| 175 cc | 10,7 cm | 2,8 cm | 354-1757 | RSZ-7175 |
| 200 cc | 11,2 cm | 2,8 cm | 354-2007 | RSZ-7200 |
| 225 cc | 11,4 cm | 3,0 cm | 354-2257 | RSZ-7225 |
| 250 cc | 11,5 cm | 3,3 cm | 354-2507 | RSZ-7250 |
| 275 cc | 12,4 cm | 3,4 cm | 354-2757 | RSZ-7275 |
| 300 cc | 12,6 cm | 3,5 cm | 354-3007 | RSZ-7300 |
| 325 cc | 12,9 cm | 3,6 cm | 354-3257 | RSZ-7325 |
| 350 cc | 13,4 cm | 3,7 cm | 354-3507 | RSZ-7350 |
| 375 cc | 13,4 cm | 3,8 cm | 354-3757 | RSZ-7375 |
| 400 cc | 13,5 cm | 3,9 cm | 354-4007 | RSZ-7400 |
| 450 cc | 13,9 cm | 4,1 cm | 354-4507 | RSZ-7450 |
| 500 cc | 14,2 cm | 4,3 cm | 354-5007 | RSZ-7500 |
| 550 cc | 14,8 cm | 4,4 cm | 354-5507 | RSZ-7550 |
| 600 cc | 15,4 cm | 4,5 cm | 354-6007 | RSZ-7600 |
| 700 cc | 16,8 cm | 4,3 cm | 354-7007 | RSZ-7700 |
| 800 cc | 17,2 cm | 4,6 cm | 354-8007 | RSZ-7800 |

### SILTEX™ Round Breast Implants, Moderate Plus Profile, Cohesive I™

| Volume | Diameter | Projection | Catalog # | Resterilizable Gel Sizer* |
|--------|----------|------------|-----------|---------------------------|
| 100 cc | 8,1 cm | 2,7 cm | 354-1001 | RSZ-1001 |
| 125 cc | 8,8 cm | 2,9 cm | 354-1251 | RSZ-1251 |
| 150 cc | 9,4 cm | 3,0 cm | 354-1501 | RSZ-1501 |
| 175 cc | 10,0 cm | 3,2 cm | 354-1751 | RSZ-1751 |
| 200 cc | 10,5 cm | 3,3 cm | 354-2001 | RSZ-2001 |
| 225 cc | 10,9 cm | 3,5 cm | 354-2251 | RSZ-2251 |
| 250 cc | 11,3 cm | 3,6 cm | 354-2501 | RSZ-2501 |
| 275 cc | 11,7 cm | 3,7 cm | 354-2751 | RSZ-2751 |
| 300 cc | 12,0 cm | 3,7 cm | 354-3001 | RSZ-3001 |
| 325 cc | 12,3 cm | 3,8 cm | 354-3251 | RSZ-3251 |
| 350 cc | 12,6 cm | 3,8 cm | 354-3501 | RSZ-3501 |
| 375 cc | 12,9 cm | 3,9 cm | 354-3751 | RSZ-3751 |
| 400 cc | 13,2 cm | 4,0 cm | 354-4001 | RSZ-4001 |
| 450 cc | 13,7 cm | 4,1 cm | 354-4501 | RSZ-4501 |
| 500 cc | 14,1 cm | 4,2 cm | 354-5001 | RSZ-5001 |
| 550 cc | 14,4 cm | 4,4 cm | 354-5501 | RSZ-5501 |
| 600 cc | 14,7 cm | 4,5 cm | 354-6001 | RSZ-6001 |
| 700 cc | 15,7 cm | 4,8 cm | 354-7001 | RSZ-7001 |
| 800 cc | 16,6 cm | 5,0 cm | 354-8001 | RSZ-8001 |

*Resterilizable up to 10 times
Note: Individual implant dimensions may vary slightly in products of this type.
Not all units will conform exactly to the dimensions noted above
- 3 -

## MEMORYGEL™ BREAST IMPLANTS

Round Gel Breast Implants,
Cohesive I™ CONT'D

### SILTEX™ Round Breast Implants, High Profile, Cohesive I™

| Volume | Diameter | Projection | Catalog # | Resterilizable Gel Sizer* |
|--------|----------|------------|-----------|---------------------------|
| 125 cc | 8,4 cm | 3,6 cm | 354-4125 | RSZ-1254 |
| 150 cc | 8,9 cm | 3,8 cm | 354-4150 | RSZ-1504 |
| 175 cc | 9,4 cm | 4,0 cm | 354-4175 | RSZ-1754 |
| 200 cc | 9,9 cm | 4,1 cm | 354-4200 | RSZ-2004 |
| 225 cc | 10,2 cm | 4,3 cm | 354-4225 | RSZ-2254 |
| 250 cc | 10,5 cm | 4,5 cm | 354-4250 | RSZ-2504 |
| 275 cc | 10,9 cm | 4,6 cm | 354-4275 | RSZ-2754 |
| 300 cc | 11,1 cm | 4,7 cm | 354-4300 | RSZ-3004 |
| 325 cc | 11,5 cm | 4,8 cm | 354-4325 | RSZ-3254 |
| 350 cc | 11,7 cm | 4,9 cm | 354-4350 | RSZ-3504 |
| 375 cc | 12,0 cm | 5,0 cm | 354-4375 | RSZ-3754 |
| 400 cc | 12,3 cm | 5,1 cm | 354-4400 | RSZ-4004 |
| 425 cc | 12,5 cm | 5,2 cm | 354-4425 | RSZ-4254 |
| 450 cc | 12,7 cm | 5,2 cm | 354-4450 | RSZ-4504 |
| 500 cc | 13,2 cm | 5,4 cm | 354-4500 | RSZ-5004 |
| 550 cc | 13,5 cm | 5,6 cm | 354-4550 | RSZ-5504 |
| 600 cc | 14,0 cm | 5,7 cm | 354-4600 | RSZ-6004 |
| 650 cc | 14,3 cm | 5,8 cm | 354-4650 | RSZ-6504 |
| 700 cc | 14,7 cm | 6,0 cm | 354-4700 | RSZ-7004 |
| 800 cc | 15,4 cm | 6,3 cm | 354-4800 | RSZ-8004 |

### SILTEX™ Round Breast Implants, Ultra High Profile, Cohesive I™

| Volume | Diameter | Projection | Catalog # | Resterilizable Gel Sizer* |
|--------|----------|------------|-----------|---------------------------|
| 135 cc | 8,0 cm | 4,3 cm | 354-5135 | RSZ-5135 |
| 160 cc | 8,4 cm | 4,5 cm | 354-5160 | RSZ-5160 |
| 185 cc | 8,6 cm | 4,6 cm | 354-5185 | RSZ-5185 |
| 215 cc | 8,9 cm | 4,7 cm | 354-5215 | RSZ-5215 |
| 240 cc | 9,2 cm | 4,9 cm | 354-5240 | RSZ-5240 |
| 270 cc | 9,5 cm | 5,0 cm | 354-5270 | RSZ-5270 |
| 295 cc | 9,9 cm | 5,2 cm | 354-5295 | RSZ-5295 |
| 320 cc | 10,0 cm | 5,3 cm | 354-5320 | RSZ-5320 |
| 350 cc | 10,3 cm | 5,4 cm | 354-5350 | RSZ-5350 |
| 375 cc | 10,5 cm | 5,5 cm | 354-5375 | RSZ-5375 |
| 400 cc | 10,8 cm | 5,6 cm | 354-5400 | RSZ-5400 |
| 430 cc | 11,1 cm | 5,8 cm | 354-5430 | RSZ-5430 |
| 455 cc | 11,3 cm | 5,9 cm | 354-5455 | RSZ-5455 |
| 480 cc | 11,6 cm | 6,0 cm | 354-5480 | RSZ-5480 |
| 535 cc | 12,1 cm | 6,3 cm | 354-5535 | RSZ-5535 |
| 590 cc | 12,6 cm | 6,5 cm | 354-5590 | RSZ-5590 |

*Resterilizable up to 10 times
- 4 -

## MEMORYGEL™ BREAST IMPLANTS

Round Gel Breast Implants, Cohesive I™

### SILTEX™ Round Breast Implants, Moderate Profile, Cohesive I™

| Volume | Diameter | Projection | Catalog # | Resterilizable Gel Size* |
|---|---|---|---|---|
| 100 cc | 8.8 cm | 2.5 cm | 354-1007 | RSZ-7100 |
| 125 cc | 9.3 cm | 2.8 cm | 354-1257 | RSZ-7125 |
| 150 cc | 10.2 cm | 2.7 cm | 354-1507 | RSZ-7150 |
| 175 cc | 10.7 cm | 2.8 cm | 354-1757 | RSZ-7175 |
| 200 cc | 11.2 cm | 2.8 cm | 354-2007 | RSZ-7200 |
| 225 cc | 11.4 cm | 3.0 cm | 354-2257 | RSZ-7225 |
| 250 cc | 11.5 cm | 3.3 cm | 354-2507 | RSZ-7250 |
| 275 cc | 12.4 cm | 3.4 cm | 354-2757 | RSZ-7275 |
| 300 cc | 12.6 cm | 3.5 cm | 354-3007 | RSZ-7300 |
| 325 cc | 12.9 cm | 3.6 cm | 354-3257 | RSZ-7325 |
| 350 cc | 13.4 cm | 3.7 cm | 354-3507 | RSZ-7350 |
| 375 cc | 13.4 cm | 3.8 cm | 354-3757 | RSZ-7375 |
| 400 cc | 13.5 cm | 3.9 cm | 354-4007 | RSZ-7400 |
| 450 cc | 13.9 cm | 4.1 cm | 354-4507 | RSZ-7450 |
| 500 cc | 14.2 cm | 4.3 cm | 354-5007 | RSZ-7500 |
| 550 cc | 14.8 cm | 4.4 cm | 354-5507 | RSZ-7550 |
| 600 cc | 15.4 cm | 4.5 cm | 354-6007 | RSZ-7600 |
| 700 cc | 16.8 cm | 4.3 cm | 354-7007 | RSZ-7700 |
| 800 cc | 17.2 cm | 4.6 cm | 354-8007 | RSZ-7800 |

### SILTEX™ Round Breast Implants, Moderate Plus Profile, Cohesive I™

| Volume | Diameter | Projection | Catalog # | Resterilizable Gel Size* |
|---|---|---|---|---|
| 100 cc | 8.1 cm | 2.7 cm | 354-1001 | RSZ-1001 |
| 125 cc | 8.8 cm | 2.9 cm | 354-1251 | RSZ-1251 |
| 150 cc | 9.4 cm | 3.0 cm | 354-1501 | RSZ-1501 |
| 175 cc | 10.0 cm | 3.2 cm | 354-1751 | RSZ-1751 |
| 200 cc | 10.5 cm | 3.3 cm | 354-2001 | RSZ-2001 |
| 225 cc | 10.9 cm | 3.5 cm | 354-2251 | RSZ-2251 |
| 250 cc | 11.3 cm | 3.6 cm | 354-2501 | RSZ-2501 |
| 275 cc | 11.7 cm | 3.7 cm | 354-2751 | RSZ-2751 |
| 300 cc | 12.0 cm | 3.7 cm | 354-3001 | RSZ-3001 |
| 325 cc | 12.3 cm | 3.8 cm | 354-3251 | RSZ-3251 |
| 350 cc | 12.6 cm | 3.8 cm | 354-3501 | RSZ-3501 |
| 375 cc | 12.9 cm | 3.9 cm | 354-3751 | RSZ-3751 |
| 400 cc | 13.2 cm | 4.0 cm | 354-4001 | RSZ-4001 |
| 450 cc | 13.7 cm | 4.1 cm | 354-4501 | RSZ-4501 |
| 500 cc | 14.1 cm | 4.2 cm | 354-5001 | RSZ-5001 |
| 550 cc | 14.4 cm | 4.4 cm | 354-5501 | RSZ-5501 |
| 600 cc | 14.7 cm | 4.5 cm | 354-6001 | RSZ-6001 |
| 700 cc | 15.7 cm | 4.8 cm | 354-7001 | RSZ-7001 |
| 800 cc | 16.6 cm | 5.0 cm | 354-8001 | RSZ-8001 |

*Resterilizable up to 10 times
Note: Individual implant dimensions may vary slightly in products of this type
Not all units will conform exactly to the dimensions noted above
- 3 -

## MEMORYGEL™ BREAST IMPLANTS

Round Gel Breast Implants, Cohesive I™ CONT'D

### SILTEX™ Round Breast Implants, High Profile, Cohesive I™

| Volume | Diameter | Projection | Catalog # | Resterilizable Gel Size* |
|---|---|---|---|---|
| 125 cc | 8.4 cm | 3.6 cm | 354-4125 | RSZ-1254 |
| 150 cc | 8.9 cm | 3.8 cm | 354-4150 | RSZ-1504 |
| 175 cc | 9.4 cm | 4.0 cm | 354-4175 | RSZ-1754 |
| 200 cc | 9.9 cm | 4.1 cm | 354-4200 | RSZ-2004 |
| 225 cc | 10.2 cm | 4.3 cm | 354-4225 | RSZ-2254 |
| 250 cc | 10.5 cm | 4.5 cm | 354-4250 | RSZ-2504 |
| 275 cc | 10.9 cm | 4.6 cm | 354-4275 | RSZ-2754 |
| 300 cc | 11.1 cm | 4.7 cm | 354-4300 | RSZ-3004 |
| 325 cc | 11.5 cm | 4.8 cm | 354-4325 | RSZ-3254 |
| 350 cc | 11.7 cm | 4.9 cm | 354-4350 | RSZ-3504 |
| 375 cc | 12.0 cm | 5.0 cm | 354-4375 | RSZ-3754 |
| 400 cc | 12.3 cm | 5.1 cm | 354-4400 | RSZ-4004 |
| 425 cc | 12.5 cm | 5.2 cm | 354-4425 | RSZ-4254 |
| 450 cc | 12.7 cm | 5.2 cm | 354-4450 | RSZ-4504 |
| 500 cc | 13.2 cm | 5.4 cm | 354-4500 | RSZ-5004 |
| 550 cc | 13.5 cm | 5.6 cm | 354-4550 | RSZ-5504 |
| 600 cc | 14.0 cm | 5.7 cm | 354-4600 | RSZ-6004 |
| 650 cc | 14.3 cm | 5.8 cm | 354-4650 | RSZ-6504 |
| 700 cc | 14.7 cm | 6.0 cm | 354-4700 | RSZ-7004 |
| 800 cc | 15.4 cm | 6.3 cm | 354-4800 | RSZ-8004 |

### SILTEX™ Round Breast Implants, Ultra High Profile, Cohesive I™

| Volume | Diameter | Projection | Catalog # | Resterilizable Gel Size* |
|---|---|---|---|---|
| 135 cc | 8.0 cm | 4.3 cm | 354-5135 | RSZ-5135 |
| 160 cc | 8.4 cm | 4.5 cm | 354-5160 | RSZ-5160 |
| 185 cc | 8.6 cm | 4.6 cm | 354-5185 | RSZ-5185 |
| 215 cc | 8.9 cm | 4.7 cm | 354-5215 | RSZ-5215 |
| 240 cc | 9.2 cm | 4.9 cm | 354-5240 | RSZ-5240 |
| 270 cc | 9.5 cm | 5.0 cm | 354-5270 | RSZ-5270 |
| 295 cc | 9.9 cm | 5.2 cm | 354-5295 | RSZ-5295 |
| 320 cc | 10.0 cm | 5.3 cm | 354-5320 | RSZ-5320 |
| 350 cc | 10.3 cm | 5.4 cm | 354-5350 | RSZ-5350 |
| 375 cc | 10.5 cm | 5.5 cm | 354-5375 | RSZ-5375 |
| 400 cc | 10.8 cm | 5.6 cm | 354-5400 | RSZ-5400 |
| 430 cc | 11.1 cm | 5.8 cm | 354-5430 | RSZ-5430 |
| 455 cc | 11.3 cm | 5.9 cm | 354-5455 | RSZ-5455 |
| 480 cc | 11.6 cm | 6.0 cm | 354-5480 | RSZ-5480 |
| 535 cc | 12.1 cm | 6.3 cm | 354-5535 | RSZ-5535 |
| 590 cc | 12.6 cm | 6.5 cm | 354-5590 | RSZ-5590 |

*Resterilizable up to 10 times

4

189

## MEMORYGEL™ BREAST IMPLANTS

Round Gel Breast Implants,
Cohesive I™ CONT'D

### Smooth Round Breast Implants, Moderate Profile, Cohesive I™

| Volume | Diameter | Projection | Catalog # | Resterilizable Gel Size* |
|---|---|---|---|---|
| 125 cc | 10,0 cm | 2,2 cm | 350-7125 BC | RSZ-7125 |
| 150 cc | 10,3 cm | 2,3 cm | 350-7150 BC | RSZ-7150 |
| 175 cc | 11,2 cm | 2,4 cm | 350-7175 BC | RSZ-7175 |
| 200 cc | 11,7 cm | 2,5 cm | 350-7200 BC | RSZ-7200 |
| 225 cc | 12,2 cm | 2,6 cm | 350-7225 BC | RSZ-7225 |
| 250 cc | 12,3 cm | 2,8 cm | 350-7250 BC | RSZ-7250 |
| 275 cc | 13,2 cm | 2,9 cm | 350-7275 BC | RSZ-7275 |
| 300 cc | 13,5 cm | 3,0 cm | 350-7300 BC | RSZ-7300 |
| 325 cc | 13,9 cm | 3,0 cm | 350-7325 BC | RSZ-7325 |
| 350 cc | 14,2 cm | 3,1 cm | 350-7350 BC | RSZ-7350 |
| 375 cc | 14,4 cm | 3,2 cm | 350-7375 BC | RSZ-7375 |
| 400 cc | 14,5 cm | 3,2 cm | 350-7400 BC | RSZ-7400 |
| 450 cc | 14,9 cm | 3,2 cm | 350-7450 BC | RSZ-7450 |
| 500 cc | 15,2 cm | 3,4 cm | 350-7500 BC | RSZ-7500 |
| 550 cc | 15,9 cm | 3,6 cm | 350-7550 BC | RSZ-7550 |
| 600 cc | 16,5 cm | 3,7 cm | 350-7600 BC | RSZ-7600 |
| 700 cc | 17,4 cm | 3,9 cm | 350-7700 BC | RSZ-7700 |
| 800 cc | 18,2 cm | 4,1 cm | 350-7800 BC | RSZ-7800 |

### Smooth Round Breast Implants, Moderate Plus Profile, Cohesive I™

| Volume | Diameter | Projection | Catalog # | Resterilizable Gel Size* |
|---|---|---|---|---|
| 125 cc | 8,9 cm | 2,8 cm | 350-1251 BC | RSZ-1251 |
| 150 cc | 9,5 cm | 2,9 cm | 350-1501 BC | RSZ-1501 |
| 175 cc | 10,0 cm | 3,1 cm | 350-1751 BC | RSZ-1751 |
| 200 cc | 10,5 cm | 3,2 cm | 350-2001 BC | RSZ-2001 |
| 225 cc | 10,9 cm | 3,3 cm | 350-2251 BC | RSZ-2251 |
| 250 cc | 11,3 cm | 3,4 cm | 350-2501 BC | RSZ-2501 |
| 275 cc | 11,7 cm | 3,5 cm | 350-2751 BC | RSZ-2751 |
| 300 cc | 12,0 cm | 3,6 cm | 350-3001 BC | RSZ-3001 |
| 325 cc | 12,3 cm | 3,8 cm | 350-3251 BC | RSZ-3251 |
| 350 cc | 12,5 cm | 3,9 cm | 350-3501 BC | RSZ-3501 |
| 375 cc | 12,8 cm | 4,0 cm | 350-3751 BC | RSZ-3751 |
| 400 cc | 13,1 cm | 4,0 cm | 350-4001 BC | RSZ-4001 |
| 450 cc | 13,6 cm | 4,2 cm | 350-4501 BC | RSZ-4501 |
| 500 cc | 14,1 cm | 4,3 cm | 350-5001 BC | RSZ-5001 |
| 550 cc | 14,6 cm | 4,5 cm | 350-5501 BC | RSZ-5501 |
| 600 cc | 15,0 cm | 4,6 cm | 350-6001 BC | RSZ-6001 |
| 700 cc | 15,8 cm | 4,9 cm | 350-7001 BC | RSZ-7001 |
| 800 cc | 16,5 cm | 5,1 cm | 350-8001 BC | RSZ-8001 |

*Resterilizable up to 10 times.
Note: Individual implant dimensions may vary slightly in products of this type.
Not all units will conform exactly to the dimensions noted above.

## MEMORYGEL™ BREAST IMPLANTS

Round Gel Breast Implants,
Cohesive I™ CONT'D

### Smooth Round Breast Implants, High Profile, Cohesive I™

| Volume | Diameter | Projection | Catalog # | Resterilizable Gel Size* |
|---|---|---|---|---|
| 125 cc | 8,3 cm | 3,5 cm | 350-1254 BC | RSZ-1254 |
| 150 cc | 8,8 cm | 3,7 cm | 350-1504 BC | RSZ-1504 |
| 175 cc | 9,3 cm | 3,9 cm | 350-1754 BC | RSZ-1754 |
| 200 cc | 9,7 cm | 4,0 cm | 350-2004 BC | RSZ-2004 |
| 225 cc | 10,1 cm | 4,2 cm | 350-2254 BC | RSZ-2254 |
| 250 cc | 10,5 cm | 4,3 cm | 350-2504 BC | RSZ-2504 |
| 275 cc | 10,8 cm | 4,4 cm | 350-2754 BC | RSZ-2754 |
| 300 cc | 11,1 cm | 4,5 cm | 350-3004 BC | RSZ-3004 |
| 325 cc | 11,4 cm | 4,6 cm | 350-3254 BC | RSZ-3254 |
| 350 cc | 11,7 cm | 4,8 cm | 350-3504 BC | RSZ-3504 |
| 375 cc | 12,0 cm | 4,8 cm | 350-3754 BC | RSZ-3754 |
| 400 cc | 12,2 cm | 5,0 cm | 350-4004 BC | RSZ-4004 |
| 425 cc | 12,5 cm | 5,0 cm | 350-4254 BC | RSZ-4254 |
| 450 cc | 12,8 cm | 5,1 cm | 350-4504 BC | RSZ-4504 |
| 500 cc | 13,2 cm | 5,3 cm | 350-5004 BC | RSZ-5004 |
| 550 cc | 13,6 cm | 5,5 cm | 350-5504 BC | RSZ-5504 |
| 600 cc | 14,0 cm | 5,6 cm | 350-6004 BC | RSZ-6004 |
| 650 cc | 14,4 cm | 5,7 cm | 350-6504 BC | RSZ-6504 |
| 700 cc | 14,8 cm | 5,8 cm | 350-7004 BC | RSZ-7004 |
| 800 cc | 15,5 cm | 6,0 cm | 350-8004 BC | RSZ-8004 |

### Smooth Round Breast Implants, Ultra High Profile, Cohesive I™

| Volume | Diameter | Projection | Catalog # | Resterilizable Gel Size* |
|---|---|---|---|---|
| 135 cc | 7,8 cm | 4,1 cm | 350-5135 BC | RSZ-5135 |
| 160 cc | 8,2 cm | 4,3 cm | 350-5160 BC | RSZ-5160 |
| 185 cc | 8,4 cm | 4,4 cm | 350-5185 BC | RSZ-5185 |
| 215 cc | 8,7 cm | 4,5 cm | 350-5215 BC | RSZ-5215 |
| 240 cc | 9,0 cm | 4,7 cm | 350-5240 BC | RSZ-5240 |
| 270 cc | 9,3 cm | 4,8 cm | 350-5270 BC | RSZ-5270 |
| 295 cc | 9,7 cm | 5,0 cm | 350-5295 BC | RSZ-5295 |
| 320 cc | 9,8 cm | 5,1 cm | 350-5320 BC | RSZ-5320 |
| 350 cc | 10,1 cm | 5,2 cm | 350-5350 BC | RSZ-5350 |
| 375 cc | 10,4 cm | 5,3 cm | 350-5375 BC | RSZ-5375 |
| 400 cc | 10,6 cm | 5,4 cm | 350-5400 BC | RSZ-5400 |
| 430 cc | 10,9 cm | 5,6 cm | 350-5430 BC | RSZ-5430 |
| 455 cc | 11,2 cm | 5,7 cm | 350-5455 BC | RSZ-5455 |
| 480 cc | 11,4 cm | 5,8 cm | 350-5480 BC | RSZ-5480 |
| 535 cc | 12,0 cm | 6,1 cm | 350-5535 BC | RSZ-5535 |
| 590 cc | 12,5 cm | 6,3 cm | 350-5590 BC | RSZ-5590 |

*Resterilizable up to 10 times.

## MEMORYGEL™ BREAST IMPLANTS

### Round Gel Breast Implants, Cohesive II™

**SILTEX™ Round Breast Implants, Moderate Profile, Cohesive II™**

| Volume | Diameter | Projection | Catalog # | Resterilizable Gel Size* |
|---|---|---|---|---|
| 100 cc | 9.1 cm | 2.6 cm | 354-1009 | RSZ-7100 |
| 125 cc | 9.3 cm | 2.8 cm | 354-1259 | RSZ-7125 |
| 150 cc | 10.1 cm | 2.4 cm | 354-1509 | RSZ-7150 |
| 175 cc | 10.5 cm | 2.9 cm | 354-1759 | RSZ-7175 |
| 200 cc | 11.2 cm | 2.8 cm | 354-2009 | RSZ-7200 |
| 225 cc | 11.5 cm | 3.0 cm | 354-2259 | RSZ-7225 |
| 250 cc | 11.6 cm | 3.5 cm | 354-2509 | RSZ-7250 |
| 275 cc | 12.5 cm | 3.1 cm | 354-2759 | RSZ-7275 |
| 300 cc | 12.6 cm | 3.6 cm | 354-3009 | RSZ-7300 |
| 325 cc | 13.1 cm | 3.6 cm | 354-3259 | RSZ-7325 |
| 350 cc | 13.4 cm | 3.5 cm | 354-3509 | RSZ-7350 |
| 375 cc | 13.4 cm | 3.9 cm | 354-3759 | RSZ-7375 |
| 400 cc | 13.7 cm | 3.8 cm | 354-4009 | RSZ-7400 |
| 450 cc | 13.7 cm | 4.6 cm | 354-4509 | RSZ-7450 |
| 500 cc | 14.2 cm | 4.8 cm | 354-5009 | RSZ-7500 |
| 550 cc | 14.5 cm | 4.5 cm | 354-5509 | RSZ-7550 |
| 600 cc | 15.3 cm | 4.6 cm | 354-6009 | RSZ-7600 |
| 700 cc | 16.3 cm | 5.0 cm | 354-7009 | RSZ-7700 |
| 800 cc | 16.7 cm | 5.4 cm | 354-8009 | RSZ-7800 |

**SILTEX™ Round Breast Implants, Moderate Plus Profile, Cohesive II™**

| Volume | Diameter | Projection | Catalog # | Resterilizable Gel Size* |
|---|---|---|---|---|
| 125 cc | 8.8 cm | 2.9 cm | 324-5125 | RSZ-1251 |
| 150 cc | 9.4 cm | 3.0 cm | 324-5150 | RSZ-1501 |
| 175 cc | 10.0 cm | 3.2 cm | 324-5175 | RSZ-1751 |
| 200 cc | 10.5 cm | 3.3 cm | 324-5200 | RSZ-2001 |
| 225 cc | 10.9 cm | 3.5 cm | 324-5225 | RSZ-2251 |
| 250 cc | 11.3 cm | 3.6 cm | 324-5250 | RSZ-2501 |
| 275 cc | 11.7 cm | 3.7 cm | 324-5275 | RSZ-2751 |
| 300 cc | 12.0 cm | 3.7 cm | 324-5300 | RSZ-3001 |
| 325 cc | 12.3 cm | 3.8 cm | 324-5325 | RSZ-3251 |
| 350 cc | 12.6 cm | 3.8 cm | 324-5350 | RSZ-3501 |
| 375 cc | 12.9 cm | 3.9 cm | 324-5375 | RSZ-3751 |
| 400 cc | 13.2 cm | 4.0 cm | 324-5400 | RSZ-4001 |
| 450 cc | 13.7 cm | 4.1 cm | 324-5450 | RSZ-4501 |
| 500 cc | 14.1 cm | 4.2 cm | 324-5500 | RSZ-5001 |
| 550 cc | 14.4 cm | 4.4 cm | 324-5550 | RSZ-5501 |
| 600 cc | 14.7 cm | 4.5 cm | 324-5600 | RSZ-6001 |
| 700 cc | 15.7 cm | 4.8 cm | 324-5700 | RSZ-7001 |
| 800 cc | 16.6 cm | 5.0 cm | 324-5800 | RSZ-8001 |

*Resterilizable up to 10 times.
Note: Individual implant dimensions may vary slightly in products of this type.
Not all units will conform exactly to the dimensions noted above

## MEMORYGEL™ BREAST IMPLANTS

### Round Gel Breast Implants, Cohesive II™ CONT'D

**SILTEX™ Round Breast Implants, High Profile, Cohesive II™**

| Volume | Diameter | Projection | Catalog # | Resterilizable Gel Size* |
|---|---|---|---|---|
| 125 cc | 8.4 cm | 3.6 cm | 324-4125 | RSZ-1254 |
| 150 cc | 8.9 cm | 3.8 cm | 324-4150 | RSZ-1504 |
| 175 cc | 9.4 cm | 4.0 cm | 324-4175 | RSZ-1754 |
| 200 cc | 9.9 cm | 4.1 cm | 324-4200 | RSZ-2004 |
| 225 cc | 10.2 cm | 4.3 cm | 324-4225 | RSZ-2254 |
| 250 cc | 10.5 cm | 4.5 cm | 324-4250 | RSZ-2504 |
| 275 cc | 10.9 cm | 4.6 cm | 324-4275 | RSZ-2754 |
| 300 cc | 11.1 cm | 4.7 cm | 324-4300 | RSZ-3004 |
| 325 cc | 11.5 cm | 4.8 cm | 324-4325 | RSZ-3254 |
| 350 cc | 11.7 cm | 4.9 cm | 324-4350 | RSZ-3504 |
| 375 cc | 12.0 cm | 5.0 cm | 324-4375 | RSZ-3754 |
| 400 cc | 12.3 cm | 5.1 cm | 324-4400 | RSZ-4004 |
| 425 cc | 12.5 cm | 5.2 cm | 324-4425 | RSZ-4254 |
| 450 cc | 12.7 cm | 5.2 cm | 324-4450 | RSZ-4504 |
| 500 cc | 13.2 cm | 5.4 cm | 324-4500 | RSZ-5004 |
| 550 cc | 13.5 cm | 5.6 cm | 324-4550 | RSZ-5504 |
| 600 cc | 14.0 cm | 5.7 cm | 324-4600 | RSZ-6004 |
| 650 cc | 14.3 cm | 5.8 cm | 324-4650 | RSZ-6504 |
| 700 cc | 14.7 cm | 6.0 cm | 324-4700 | RSZ-7004 |
| 800 cc | 15.4 cm | 6.3 cm | 324-4800 | RSZ-8004 |

*Resterilizable up to 10 times.

## MEMORYGEL™ BREAST IMPLANTS

CPG™ Gel Breast Implants, Cohesive III™

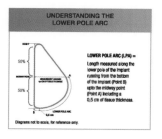

### CPG™ BREAST IMPLANT NAMING LEGEND

| Cohesive Level | Implant Height | Implant Projection |
|---|---|---|
| | Tall 3 | High 3 |
| III 3 | Medium 2 | Moderate Plus 2 |
| | Low 1 | Moderate 1 |

KEY: DIGIT 1 = COHESIVE LEVEL
DIGIT 2 = HEIGHT OF IMPLANT
DIGIT 3 = PROJECTION OF IMPLANT

### UNDERSTANDING THE LOWER POLE ARC

LOWER POLE ARC (LPA) = Length measured along the lower pole of the implant running from the bottom of the implant (Point B) up to the midway point (Point A) including a 0,5 cm of tissue thickness.

Diagrams not to scale, for reference only.

## MEMORYGEL™ BREAST IMPLANTS

CPG™ Gel Breast Implants, Cohesive III™ CONT'D

### CPG™ Implants 331, Cohesive III™, Tall Height, Moderate Projection

| Volume | Width | Height | Projection | Lower Pole Arc A-B | Catalog # | Resterilizable Gel Sizer* |
|---|---|---|---|---|---|---|
| 125 cc | 9.0 cm | 9.2 cm | 3.2 cm | 7.3 cm | 334-0903 | RSZ-0903 |
| 150 cc | 9.5 cm | 9.7 cm | 3.3 cm | 7.7 cm | 334-0953 | RSZ-0953 |
| 175 cc | 10.0 cm | 10.2 cm | 3.4 cm | 8.1 cm | 334-1003 | RSZ-1003 |
| 200 cc | 10.5 cm | 10.7 cm | 3.5 cm | 8.4 cm | 334-1053 | RSZ-1053 |
| 230 cc | 11.0 cm | 11.3 cm | 3.6 cm | 8.8 cm | 334-1103 | RSZ-1103 |
| 265 cc | 11.5 cm | 11.8 cm | 3.7 cm | 9.1 cm | 334-1153 | RSZ-1153 |
| 300 cc | 12.0 cm | 12.3 cm | 3.9 cm | 9.5 cm | 334-1203 | RSZ-1203 |
| 340 cc | 12.5 cm | 12.8 cm | 4.0 cm | 9.9 cm | 334-1253 | RSZ-1253 |
| 380 cc | 13.0 cm | 13.3 cm | 4.1 cm | 10.2 cm | 334-1303 | RSZ-1303 |
| 425 cc | 13.5 cm | 13.8 cm | 4.3 cm | 10.6 cm | 334-1353 | RSZ-1353 |
| 475 cc | 14.0 cm | 14.3 cm | 4.5 cm | 11.0 cm | 334-1403 | RSZ-1403 |
| 530 cc | 14.5 cm | 14.8 cm | 4.6 cm | 11.3 cm | 334-1453 | RSZ-1453 |
| 585 cc | 15.0 cm | 15.3 cm | 4.8 cm | 11.7 cm | 334-1503 | RSZ-1503 |
| 645 cc | 15.5 cm | 15.9 cm | 5.0 cm | 12.1 cm | 334-1553 | RSZ-1553 |

### CPG™ Implants 321, Cohesive III™, Medium Height, Moderate Projection

| Volume | Width | Height | Projection | Lower Pole Arc A-B | Catalog # | Resterilizable Gel Sizer* |
|---|---|---|---|---|---|---|
| 120 cc | 9.0 cm | 8.5 cm | 3.3 cm | 7.6 cm | 354-0908 | RSZ-0908 |
| 135 cc | 9.5 cm | 8.9 cm | 3.5 cm | 7.8 cm | 354-0958 | RSZ-0958 |
| 155 cc | 10.0 cm | 9.4 cm | 3.7 cm | 7.7 cm | 354-1008 | RSZ-1008 |
| 180 cc | 10.5 cm | 9.9 cm | 3.8 cm | 8.0 cm | 354-1058 | RSZ-1058 |
| 215 cc | 11.0 cm | 10.3 cm | 3.9 cm | 8.2 cm | 354-1108 | RSZ-1108 |
| 245 cc | 11.5 cm | 10.8 cm | 4.0 cm | 8.6 cm | 354-1158 | RSZ-1158 |
| 280 cc | 12.0 cm | 11.3 cm | 4.2 cm | 8.9 cm | 354-1208 | RSZ-1208 |
| 315 cc | 12.5 cm | 11.8 cm | 4.4 cm | 9.2 cm | 354-1258 | RSZ-1258 |
| 355 cc | 13.0 cm | 12.2 cm | 4.6 cm | 9.6 cm | 354-1308 | RSZ-1308 |
| 395 cc | 13.5 cm | 12.7 cm | 4.7 cm | 9.9 cm | 354-1358 | RSZ-1358 |
| 440 cc | 14.0 cm | 13.2 cm | 4.9 cm | 10.3 cm | 354-1408 | RSZ-1408 |
| 480 cc | 14.5 cm | 13.6 cm | 5.0 cm | 10.5 cm | 354-1458 | RSZ-1458 |
| 530 cc | 15.0 cm | 14.1 cm | 5.2 cm | 10.9 cm | 354-1508 | RSZ-1508 |
| 640 cc | 16.0 cm | 15.0 cm | 5.6 cm | 11.5 cm | 354-1608 | RSZ-1608 |
| 775 cc | 17.0 cm | 16.0 cm | 5.9 cm | 12.2 cm | 354-1708 | RSZ-1708 |

### CPG™ Implants 311, Cohesive III™, Low Height, Moderate Projection

| Volume | Width | Height | Projection | Lower Pole Arc A-B | Catalog # | Resterilizable Gel Sizer* |
|---|---|---|---|---|---|---|
| 120 cc | 9.5 cm | 8.5 cm | 3.2 cm | 6.8 cm | 334-0951 | RSZ-0095 |
| 140 cc | 10.0 cm | 8.9 cm | 3.4 cm | 7.2 cm | 334-1001 | RSZ-0100 |
| 160 cc | 10.5 cm | 9.4 cm | 3.5 cm | 7.5 cm | 334-1051 | RSZ-0105 |
| 180 cc | 11.0 cm | 9.8 cm | 3.7 cm | 7.9 cm | 334-1101 | RSZ-0110 |
| 210 cc | 11.5 cm | 10.3 cm | 3.9 cm | 8.2 cm | 334-1151 | RSZ-0115 |
| 235 cc | 12.0 cm | 10.7 cm | 4.1 cm | 8.5 cm | 334-1201 | RSZ-0120 |
| 270 cc | 12.5 cm | 11.2 cm | 4.3 cm | 8.8 cm | 334-1251 | RSZ-0125 |
| 300 cc | 13.0 cm | 11.6 cm | 4.4 cm | 9.2 cm | 334-1301 | RSZ-0130 |
| 335 cc | 13.5 cm | 12.0 cm | 4.6 cm | 9.6 cm | 334-1351 | RSZ-0135 |
| 375 cc | 14.0 cm | 12.5 cm | 4.7 cm | 9.8 cm | 334-1401 | RSZ-0140 |
| 415 cc | 14.5 cm | 12.9 cm | 4.9 cm | 10.1 cm | 334-1451 | RSZ-0146 |
| 460 cc | 15.0 cm | 13.4 cm | 5.1 cm | 10.5 cm | 334-1501 | RSZ-0150 |
| 510 cc | 15.5 cm | 13.8 cm | 5.2 cm | 10.8 cm | 334-1551 | RSZ-0155 |
| 560 cc | 16.0 cm | 14.3 cm | 5.4 cm | 11.1 cm | 334-1601 | RSZ-0160 |
| 615 cc | 16.5 cm | 14.7 cm | 5.6 cm | 11.4 cm | 334-1651 | RSZ-0165 |

*Resterilizable up to 10 times.
Note: Individual implant dimensions may vary slightly in products of this type.
Not all units will conform exactly to the dimensions noted above

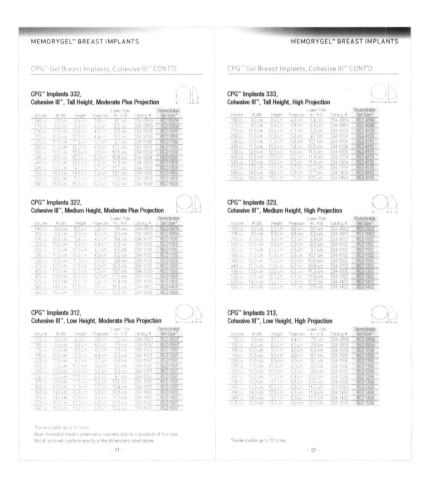

## MEMORYGEL™ BREAST IMPLANTS

CPG™ Gel Breast Implants, Cohesive III™ CONT'D

### CPG™ Implants 332,
### Cohesive III™, Tall Height, Moderate Plus Projection

| Volume | Width | Height | Projection | Lower Pole Arc A-B | Catalog # | Resterilizable Gel Size* |
|---|---|---|---|---|---|---|
| 145 cc | 9.0 cm | 9.4 cm | 3.8 cm | 8.1 cm | 334-0909 | RSZ-0909 |
| 175 cc | 9.5 cm | 9.9 cm | 4.0 cm | 8.5 cm | 334-0959 | RSZ-0959 |
| 205 cc | 10.0 cm | 10.4 cm | 4.2 cm | 8.9 cm | 334-1009 | RSZ-1009 |
| 235 cc | 10.5 cm | 10.9 cm | 4.4 cm | 9.3 cm | 334-1059 | RSZ-1059 |
| 270 cc | 11.0 cm | 11.5 cm | 4.7 cm | 9.7 cm | 334-1109 | RSZ-1109 |
| 306 cc | 11.5 cm | 12.0 cm | 4.9 cm | 10.1 cm | 334-1159 | RSZ-1159 |
| 360 cc | 12.0 cm | 12.5 cm | 5.1 cm | 10.5 cm | 334-1209 | RSZ-1209 |
| 395 cc | 12.5 cm | 13.0 cm | 5.3 cm | 10.9 cm | 334-1259 | RSZ-1259 |
| 445 cc | 13.0 cm | 13.5 cm | 5.5 cm | 11.3 cm | 334-1309 | RSZ-1309 |
| 490 cc | 13.5 cm | 14.1 cm | 5.7 cm | 11.7 cm | 334-1359 | RSZ-1359 |
| 556 cc | 14.0 cm | 14.6 cm | 5.9 cm | 12.1 cm | 334-1409 | RSZ-1409 |
| 615 cc | 14.5 cm | 15.1 cm | 6.1 cm | 12.6 cm | 334-1459 | RSZ-1459 |
| 680 cc | 15.0 cm | 15.6 cm | 6.3 cm | 13.0 cm | 334-1509 | RSZ-1509 |

### CPG™ Implants 322,
### Cohesive III™, Medium Height, Moderate Plus Projection

| Volume | Width | Height | Projection | Lower Pole Arc A-B | Catalog # | Resterilizable Gel Size* |
|---|---|---|---|---|---|---|
| 140 cc | 9.0 cm | 8.5 cm | 3.8 cm | 7.6 cm | 334-0905 | RSZ-0905 |
| 165 cc | 9.5 cm | 8.9 cm | 4.0 cm | 8.0 cm | 334-0955 | RSZ-0955 |
| 195 cc | 10.0 cm | 9.4 cm | 4.2 cm | 8.4 cm | 334-1005 | RSZ-1005 |
| 225 cc | 10.5 cm | 9.9 cm | 4.4 cm | 8.8 cm | 334-1055 | RSZ-1055 |
| 256 cc | 11.0 cm | 10.3 cm | 4.7 cm | 9.2 cm | 334-1105 | RSZ-1105 |
| 295 cc | 11.5 cm | 10.8 cm | 4.9 cm | 9.5 cm | 334-1155 | RSZ-1155 |
| 330 cc | 12.0 cm | 11.3 cm | 5.1 cm | 9.9 cm | 334-1205 | RSZ-1205 |
| 375 cc | 12.5 cm | 11.8 cm | 5.3 cm | 10.3 cm | 334-1255 | RSZ-1255 |
| 420 cc | 13.0 cm | 12.3 cm | 5.5 cm | 10.7 cm | 334-1305 | RSZ-1305 |
| 475 cc | 13.5 cm | 12.7 cm | 5.7 cm | 11.1 cm | 334-1355 | RSZ-1355 |
| 525 cc | 14.0 cm | 13.2 cm | 5.9 cm | 11.4 cm | 334-1405 | RSZ-1405 |
| 585 cc | 14.5 cm | 13.6 cm | 6.1 cm | 11.8 cm | 334-1455 | RSZ-1455 |
| 650 cc | 15.0 cm | 14.1 cm | 6.3 cm | 12.2 cm | 334-1505 | RSZ-1505 |

### CPG™ Implants 312,
### Cohesive III™, Low Height, Moderate Plus Projection

| Volume | Width | Height | Projection | Lower Pole Arc A-B | Catalog # | Resterilizable Gel Size* |
|---|---|---|---|---|---|---|
| 125 cc | 9.0 cm | 7.5 cm | 3.8 cm | 7.2 cm | 334-0907 | RSZ-0907 |
| 145 cc | 9.5 cm | 8.4 cm | 4.0 cm | 7.5 cm | 334-0957 | RSZ-0957 |
| 170 cc | 10.0 cm | 8.3 cm | 4.2 cm | 7.9 cm | 334-1007 | RSZ-1007 |
| 195 cc | 10.5 cm | 8.3 cm | 4.4 cm | 8.3 cm | 334-1057 | RSZ-1057 |
| 225 cc | 11.0 cm | 9.2 cm | 4.7 cm | 8.6 cm | 334-1107 | RSZ-1107 |
| 256 cc | 11.5 cm | 10.2 cm | 4.9 cm | 9.0 cm | 334-1157 | RSZ-1157 |
| 290 cc | 12.0 cm | 10.6 cm | 5.1 cm | 9.3 cm | 334-1207 | RSZ-1207 |
| 330 cc | 12.5 cm | 11.1 cm | 5.3 cm | 9.7 cm | 334-1257 | RSZ-1257 |
| 370 cc | 13.0 cm | 11.5 cm | 5.5 cm | 10.0 cm | 334-1307 | RSZ-1307 |
| 415 cc | 13.5 cm | 11.9 cm | 5.7 cm | 10.4 cm | 334-1357 | RSZ-1357 |
| 465 cc | 14.0 cm | 12.4 cm | 5.9 cm | 10.8 cm | 334-1407 | RSZ-1407 |
| 515 cc | 14.5 cm | 12.8 cm | 6.1 cm | 11.1 cm | 334-1457 | RSZ-1457 |
| 570 cc | 15.0 cm | 13.3 cm | 6.3 cm | 11.5 cm | 334-1507 | RSZ-1507 |
| 980 cc | 15.0 cm | 14.5 cm | 6.8 cm | 12.2 cm | 334-1607 | RSZ-1607 |

*Resterilizable up to 10 times
Note: Individual implant dimensions may vary slightly in products of this type.
Not all units will conform exactly to the dimensions noted above

## MEMORYGEL™ BREAST IMPLANTS

CPG™ Gel Breast Implants, Cohesive III™ CONT'D

### CPG™ Implants 333,
### Cohesive III™, Tall Height, High Projection

| Volume | Width | Height | Projection | Lower Pole Arc A-B | Catalog # | Resterilizable Gel Size* |
|---|---|---|---|---|---|---|
| 180 cc | 9.0 cm | 9.4 cm | 4.6 cm | 6.4 cm | 334-0904 | RSZ-4090 |
| 215 cc | 9.5 cm | 9.9 cm | 4.8 cm | 8.9 cm | 334-0954 | RSZ-4095 |
| 250 cc | 10.0 cm | 10.4 cm | 5.1 cm | 9.3 cm | 334-1004 | RSZ-4100 |
| 290 cc | 10.5 cm | 10.9 cm | 5.3 cm | 9.7 cm | 334-1054 | RSZ-4105 |
| 330 cc | 11.0 cm | 11.5 cm | 5.6 cm | 10.1 cm | 334-1104 | RSZ-4110 |
| 380 cc | 11.5 cm | 12.0 cm | 5.8 cm | 10.5 cm | 334-1154 | RSZ-4115 |
| 430 cc | 12.0 cm | 12.5 cm | 6.0 cm | 11.0 cm | 334-1204 | RSZ-4120 |
| 485 cc | 12.5 cm | 13.0 cm | 6.2 cm | 11.4 cm | 334-1254 | RSZ-4125 |
| 545 cc | 13.0 cm | 13.5 cm | 6.5 cm | 11.8 cm | 334-1304 | RSZ-4130 |
| 610 cc | 13.5 cm | 14.1 cm | 6.7 cm | 12.2 cm | 334-1354 | RSZ-4135 |
| 680 cc | 14.0 cm | 14.6 cm | 6.9 cm | 12.7 cm | 334-1404 | RSZ-4140 |
| 755 cc | 14.5 cm | 15.1 cm | 7.1 cm | 13.1 cm | 334-1454 | RSZ-4145 |

### CPG™ Implants 323,
### Cohesive III™, Medium Height, High Projection

| Volume | Width | Height | Projection | Lower Pole Arc A-B | Catalog # | Resterilizable Gel Size* |
|---|---|---|---|---|---|---|
| 165 cc | 9.0 cm | 8.5 cm | 4.6 cm | 8.1 cm | 334-0902 | RSZ-0902 |
| 195 cc | 9.5 cm | 8.9 cm | 4.8 cm | 8.5 cm | 334-0952 | RSZ-0952 |
| 275 cc | 10.0 cm | 9.4 cm | 5.1 cm | 8.9 cm | 334-1002 | RSZ-1002 |
| 260 cc | 10.5 cm | 9.9 cm | 5.3 cm | 9.3 cm | 334-1052 | RSZ-1052 |
| 300 cc | 11.0 cm | 10.3 cm | 5.6 cm | 9.7 cm | 334-1102 | RSZ-1102 |
| 345 cc | 11.5 cm | 10.8 cm | 5.8 cm | 10.1 cm | 334-1152 | RSZ-1152 |
| 390 cc | 12.0 cm | 11.3 cm | 6.0 cm | 10.5 cm | 334-1202 | RSZ-1202 |
| 445 cc | 12.5 cm | 11.8 cm | 6.2 cm | 10.9 cm | 334-1252 | RSZ-1252 |
| 495 cc | 13.0 cm | 12.2 cm | 6.5 cm | 11.3 cm | 334-1302 | RSZ-1302 |
| 555 cc | 13.5 cm | 12.7 cm | 6.7 cm | 11.8 cm | 334-1352 | RSZ-1352 |
| 620 cc | 14.0 cm | 13.2 cm | 6.9 cm | 12.2 cm | 334-1402 | RSZ-1402 |
| 685 cc | 14.5 cm | 13.6 cm | 7.1 cm | 12.6 cm | 334-1452 | RSZ-1452 |

### CPG™ Implants 313,
### Cohesive III™, Low Height, High Projection

| Volume | Width | Height | Projection | Lower Pole Arc A-B | Catalog # | Resterilizable Gel Size* |
|---|---|---|---|---|---|---|
| 130 cc | 9.0 cm | 8.1 cm | 4.4 cm | 7.6 cm | 334-0906 | RSZ-0906 |
| 155 cc | 9.5 cm | 8.6 cm | 4.5 cm | 7.8 cm | 334-0956 | RSZ-0956 |
| 180 cc | 10.0 cm | 9.0 cm | 4.8 cm | 8.3 cm | 334-1006 | RSZ-1006 |
| 210 cc | 10.5 cm | 9.5 cm | 4.8 cm | 8.7 cm | 334-1056 | RSZ-1056 |
| 240 cc | 11.0 cm | 9.9 cm | 5.0 cm | 9.1 cm | 334-1106 | RSZ-1106 |
| 270 cc | 11.5 cm | 10.3 cm | 5.0 cm | 9.5 cm | 334-1156 | RSZ-1156 |
| 310 cc | 12.0 cm | 10.8 cm | 5.2 cm | 9.9 cm | 334-1206 | RSZ-1206 |
| 350 cc | 12.5 cm | 11.2 cm | 5.4 cm | 10.2 cm | 334-1256 | RSZ-1256 |
| 395 cc | 13.0 cm | 11.7 cm | 5.6 cm | 10.6 cm | 334-1306 | RSZ-1306 |
| 440 cc | 13.5 cm | 12.2 cm | 5.8 cm | 11.0 cm | 334-1356 | RSZ-1356 |
| 490 cc | 14.0 cm | 12.6 cm | 6.1 cm | 11.4 cm | 334-1406 | RSZ-1406 |
| 545 cc | 14.5 cm | 13.1 cm | 6.3 cm | 11.7 cm | 334-1456 | RSZ-1456 |
| 605 cc | 15.0 cm | 13.5 cm | 6.6 cm | 12.1 cm | 334-1506 | RSZ-1506 |

*Resterilizable up to 10 times

# ■ POLYTECH (GERMANY)

## ▸▸Breast implants

## ▸Breast implants

### The POLYTECH Implant Surfaces

● **Microthane**[*]

An implant-shell cover of medical-grade micropolyurethane foam. This surface is known for its reliability and has been proven to contribute to a sizable reduction of capsular contracture rates to 0–3%[1].

● **POLYtxt**[*]

A macro-textured implant-shell surface (50% reduced capsular contracture risk than with smooth implants)[2].

● **MESMO**[*]**sensitive**

A micro-textured implant-shell surface.

● **POLYsmooth**™

A smooth implant-shell surface.

On the following pages, the above colors for the respective surfaces are shown with the products so you will see immediately which product is available with the surface you are looking for.

1: (Handel, 1991; Gasperoni, 1992; Pennisi, 1990; Shapiro, 1989; Baudelot, 1989; Artz, 1988; Hermann, 1994; Eyssen, 1984; Schatten, 1984; Hester et al., 2001; Vázquez, 2007) (Handel, 2006)

2: (Handel, 2006)

### Limitations

Breast implants of volumes larger than 700ml and up to 1100ml are manufactured on demand only and handled as custom-made implants. Requests for volumes larger than 1100ml will not be accepted.

5

## Breast implants POLYsmooth™

# Même® *SublimeLine* POLYsmooth™

Breast implants with smooth POLYsmooth™ surface, round base, central projection, filled with cohesive, form-stable silicone gel, delivered individually packed, sterile. CE 0483

### Même® *SL* LP – low projection, POLYsmooth™

| Order n° | Dimensions (mm) | | | | Volume (ml) | |
|---|---|---|---|---|---|---|
| | A | B | C | D | | |
| 10724-055'* | 70 | 70 | 23 | 43 | 55 | |
| 10724-065' | 75 | 75 | 24 | 46 | 65 | SMO |
| 10724-085'* | 80 | 80 | 24 | 49 | 85 | |
| 10724-095' | 85 | 85 | 25 | 51 | 95 | |
| 10724-110'* | 90 | 90 | 26 | 54 | 110 | |
| 10724-125' | 95 | 95 | 27 | 57 | 125 | |
| 10724-150'* | 100 | 100 | 28 | 60 | 150 | |
| 10724-165' | 105 | 105 | 29 | 62 | 165 | |
| 10724-185'* | 110 | 110 | 29 | 65 | 185 | |
| 10724-215' | 115 | 115 | 30 | 68 | 215 | |
| 10724-235'* | 120 | 120 | 31 | 71 | 235 | |
| 10724-270' | 125 | 125 | 32 | 73 | 270 | |
| 10724-295'* | 130 | 130 | 33 | 76 | 295 | |
| 10724-330' | 135 | 135 | 34 | 79 | 330 | |
| 10724-365'* | 140 | 140 | 35 | 82 | 365 | |
| 10724-400' | 145 | 145 | 35 | 85 | 400 | |
| 10724-440'* | 150 | 150 | 36 | 87 | 440 | |
| 10724-485' | 155 | 155 | 37 | 90 | 485 | |

### Même® *SL* MP – moderate projection, POLYsmooth™

| Order n° | Dimensions (mm) | | | | Volume (ml) | |
|---|---|---|---|---|---|---|
| | A | B | C | D | | |
| 10725-070'* | 70 | 70 | 28 | 47 | 70 | |
| 10725-090' | 75 | 75 | 30 | 50 | 90 | SMO |
| 10725-105'* | 80 | 80 | 31 | 53 | 105 | |
| 10725-120' | 85 | 85 | 32 | 56 | 120 | |
| 10725-145'* | 90 | 90 | 33 | 59 | 145 | |
| 10725-165' | 95 | 95 | 35 | 62 | 165 | |
| 10725-195'* | 100 | 100 | 36 | 65 | 195 | |
| 10725-220' | 105 | 105 | 37 | 68 | 220 | |
| 10725-255'* | 110 | 110 | 38 | 71 | 255 | |
| 10725-285' | 115 | 115 | 40 | 74 | 285 | |
| 10725-320'* | 120 | 120 | 41 | 77 | 320 | |
| 10725-360' | 125 | 125 | 43 | 80 | 360 | |
| 10725-400'* | 130 | 130 | 44 | 83 | 400 | |
| 10725-445' | 135 | 135 | 45 | 86 | 445 | |
| 10725-495'* | 140 | 140 | 47 | 89 | 495 | |
| 10725-545' | 145 | 145 | 48 | 92 | 545 | |
| 10725-600'* | 150 | 150 | 49 | 95 | 600 | |
| 10725-660' | 155 | 155 | 51 | 98 | 660 | |

## Breast implants POLYsmooth™

### Même® sizers

* Silicone-gel filled, smooth sizers, sterile, re-sterilisable, CE 0483
  **available in all sizes marked with °; order n° e.g. 20725-145H**

### Même® *SL* HP – high projection, POLYsmooth™

| Order n° | Dimensions (mm) | | | | Volume (ml) | |
|---|---|---|---|---|---|---|
| | A | B | C | D | | |
| 10726-090'* | 70 | 70 | 34 | 51 | 90 | |
| 10726-110' | 75 | 75 | 36 | 54 | 110 | SMO |
| 10726-125'* | 80 | 80 | 37 | 58 | 125 | |
| 10726-155' | 85 | 85 | 39 | 61 | 155 | |
| 10726-180'* | 90 | 90 | 40 | 64 | 180 | |
| 10726-210' | 95 | 95 | 42 | 67 | 210 | |
| 10726-235'* | 100 | 100 | 44 | 71 | 235 | |
| 10726-275' | 105 | 105 | 45 | 74 | 275 | |
| 10726-315'* | 110 | 110 | 47 | 77 | 315 | |
| 10726-360' | 115 | 115 | 49 | 80 | 360 | |
| 10726-400'* | 120 | 120 | 51 | 83 | 400 | |
| 10726-450' | 125 | 125 | 53 | 87 | 450 | |
| 10726-505'* | 130 | 130 | 55 | 90 | 505 | |
| 10726-560' | 135 | 135 | 57 | 93 | 560 | |
| 10726-620'* | 140 | 140 | 59 | 96 | 620 | |
| 10726-690' | 145 | 145 | 61 | 100 | 690 | |
| 10726-760'* | 150 | 150 | 62 | 103 | 760 | |
| 10726-835' | 155 | 155 | 64 | 106 | 835 | |

### Même® *SL* XP – extra-high projection, POLYsmooth™

| Order n° | Dimensions (mm) | | | | Volume (ml) | |
|---|---|---|---|---|---|---|
| | A | B | C | D | | |
| 10727-105'* | 70 | 70 | 40 | 55 | 105 | |
| 10727-125' | 75 | 75 | 43 | 59 | 125 | SMO |
| 10727-155'* | 80 | 80 | 45 | 62 | 155 | |
| 10727-180' | 85 | 85 | 47 | 66 | 180 | |
| 10727-215'* | 90 | 90 | 49 | 69 | 215 | |
| 10727-250' | 95 | 95 | 51 | 73 | 250 | |
| 10727-285'* | 100 | 100 | 53 | 77 | 285 | |
| 10727-330' | 105 | 105 | 55 | 80 | 330 | |
| 10727-380'* | 110 | 110 | 57 | 84 | 380 | |
| 10727-430' | 115 | 115 | 59 | 87 | 430 | |
| 10727-495'* | 120 | 120 | 61 | 91 | 495 | |
| 10727-545' | 125 | 125 | 63 | 94 | 545 | |
| 10727-610'* | 130 | 130 | 65 | 98 | 610 | |
| 10727-675' | 135 | 135 | 67 | 101 | 675 | |
| 10727-755'* | 140 | 140 | 69 | 105 | 755 | |
| 10727-830' | 145 | 145 | 71 | 108 | 830 | |
| 10727-920'* | 150 | 150 | 73 | 112 | 920 | |
| 10727-1010' | 155 | 155 | 75 | 115 | 1010 | |

# ■ SEBBIN (FRANCE)

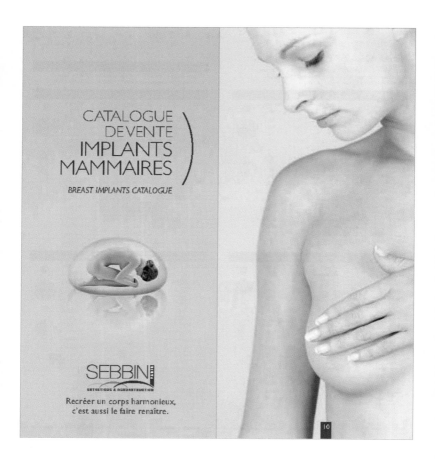

## SOFT IMPLANTS,
### *Cohesive Naturgel™*

### EXTRA-BASE™ / PROFIL HAUT
*Extra-Base™ / High profile*

| Volume (mL) | Base (mm) | Projection (mm) | Référence |
|---|---|---|---|
| 65 | 69 | 26 | LS 95 065 |
| 85 | 73 | 30 | LS 95 085 |
| 105 | 78 | 32 | LS 95 105 |
| 125 | 83 | 34 | LS 95 125 |
| 145 | 88 | 35 | LS 95 145 |
| 165 | 90 | 37 | LS 95 165 |
| 185 | 93 | 38 | LS 95 185 |
| 205 | 96 | 40 | LS 95 205 |
| 225 | 99 | 42 | LS 95 225 |
| 245 | 102 | 43 | LS 95 245 |
| 265 | 104 | 45 | LS 95 265 |
| 285 | 106 | 46 | LS 95 285 |
| 305 | 108 | 48 | LS 95 305 |
| 335 | 111 | 50 | LS 95 335 |
| 365 | 115 | 51 | LS 95 365 |
| 395 | 119 | 52 | LS 95 395 |
| 435 | 122 | 54 | LS 95 435 |
| 475 | 126 | 55 | LS 95 475 |
| 515 | 129 | 57 | LS 95 515 |
| 565 | 134 | 59 | LS 95 565 |

## IMPLANTS SOUPLES,
### Naturgel™ Cohésif

### EXTRA-BASE™ / PROFIL MODÉRÉ
*Extra-Base™ / Moderate profile*

| Volume (mL) | Base (mm) | Projection (mm) | Référence |
|---|---|---|---|
| 60 | 81 | 23 | LS 96 060 |
| 80 | 84 | 24 | LS 96 080 |
| 100 | 85 | 27 | LS 96 100 |
| 120 | 90 | 29 | LS 96 120 |
| 140 | 95 | 30 | LS 96 140 |
| 160 | 100 | 31 | LS 96 160 |
| 180 | 105 | 32 | LS 96 180 |
| 200 | 108 | 33 | LS 96 200 |
| 220 | 111 | 34 | LS 96 220 |
| 240 | 114 | 35 | LS 96 240 |
| 260 | 117 | 36 | LS 96 260 |
| 280 | 121 | 37 | LS 96 280 |
| 300 | 125 | 38 | LS 96 300 |
| 330 | 128 | 40 | LS 96 330 |
| 360 | 131 | 41 | LS 96 360 |
| 390 | 135 | 42 | LS 96 390 |
| 430 | 139 | 43 | LS 96 430 |
| 470 | 142 | 46 | LS 96 470 |
| 510 | 145 | 47 | LS 96 510 |
| 560 | 147 | 49 | LS 96 560 |

## CLASSIC IMPLANTS,
### Cohesive Naturgel™

### PROFIL HAUT
#### High profile

| Vol. (mL) | Base (mm) | Proj. (mm) | Référence | Gabarit / Sizer* |
|---|---|---|---|---|
| 85 | 68 | 35 | LS 91 085 | GAB 36 085 |
| 105 | 72 | 39 | LS 91 105 | GAB 36 105 |
| 125 | 78 | 40 | LS 91 125 | GAB 36 125 |
| 145 | 82 | 41 | LS 91 145 | GAB 36 145 |
| 165 | 86 | 43 | LS 91 165 | GAB 36 165 |
| 185 | 91 | 44 | LS 91 185 | GAB 36 185 |
| 205 | 93 | 45 | LS 91 205 | GAB 36 205 |
| 225 | 97 | 46 | LS 91 225 | GAB 36 225 |
| 245 | 99 | 47 | LS 91 245 | GAB 36 245 |
| 265 | 101 | 49 | LS 91 265 | GAB 36 265 |
| 285 | 103 | 50 | LS 91 285 | GAB 36 285 |
| 305 | 105 | 52 | LS 91 305 | GAB 36 305 |
| 335 | 109 | 54 | LS 91 335 | GAB 36 335 |
| 365 | 112 | 56 | LS 91 365 | GAB 36 365 |
| 395 | 114 | 57 | LS 91 395 | GAB 36 395 |
| 435 | 117 | 60 | LS 91 435 | GAB 36 435 |
| 475 | 122 | 61 | LS 91 475 | GAB 36 475 |
| 515 | 126 | 62 | LS 91 515 | GAB 36 515 |
| 565 | 129 | 63 | LS 91 565 | GAB 36 565 |
| 615 | 134 | 65 | LS 91 615 | GAB 36 615 |
| 805 | 136 | 80 | LS 91 805** | GAB 36 805** |

**On demand only.

*The sizers are pre-filled with silicone gel with a smooth envelope.
They are delivered sterile, for single-use.

## IMPLANTS CLASSIQUES,
### Naturgel™ Cohésif

### PROFIL MODÉRÉ
#### Moderate profile

| Vol. (mL) | Base (mm) | Proj. (mm) | Référence | Gabarit / Sizer* |
|---|---|---|---|---|
| 80 | 80 | 25 | LS 90 080 | GAB 35 080 |
| 100 | 84 | 28 | LS 90 100 | GAB 35 100 |
| 120 | 87 | 30 | LS 90 120 | GAB 35 120 |
| 140 | 91 | 31 | LS 90 140 | GAB 35 140 |
| 160 | 95 | 32 | LS 90 160 | GAB 35 160 |
| 180 | 101 | 33 | LS 90 180 | GAB 35 180 |
| 200 | 104 | 34 | LS 90 200 | GAB 35 200 |
| 220 | 108 | 35 | LS 90 220 | GAB 35 220 |
| 240 | 110 | 36 | LS 90 240 | GAB 35 240 |
| 260 | 112 | 38 | LS 90 260 | GAB 35 260 |
| 280 | 116 | 39 | LS 90 280 | GAB 35 280 |
| 300 | 119 | 40 | LS 90 300 | GAB 35 300 |
| 330 | 123 | 41 | LS 90 330 | GAB 35 330 |
| 360 | 126 | 42 | LS 90 360 | GAB 35 360 |
| 390 | 128 | 44 | LS 90 390 | GAB 35 390 |
| 430 | 133 | 45 | LS 90 430 | GAB 35 430 |
| 470 | 137 | 47 | LS 90 470 | GAB 35 470 |
| 510 | 140 | 49 | LS 90 510 | GAB 35 510 |
| 560 | 144 | 50 | LS 90 560 | GAB 35 560 |
| 610 | 147 | 51 | LS 90 610 | GAB 35 610 |
| 800 | 166 | 59 | LS 90 800** | GAB 35 800** |
| 900 | 166 | 66,5 | LS 90 900** | GAB 35 900** |

**Sur demande uniquement.

*Les gabarits sont pré-remplis de gel de silicone et avec une
enveloppe lisse. Ils sont livrés stériles, à usage unique.

## FIRM IMPLANTS,
### High Cohesive Naturgel™

## IMPLANTS FERMES,
### Naturgel™ Haute Cohésion

### PROFIL HAUT
*High profile*

| Vol. (mL) | Base (mm) | Proj. (mm) | Référence | Gabarit /Sizer* |
|---|---|---|---|---|
| 90 | 66 | 39 | LSC 93 090 | GAB 32 090** |
| 110 | 70 | 41 | LSC 93 110 | GAB 32 110** |
| 130 | 75 | 42 | LSC 93 130 | GAB 32 130** |
| 150 | 80 | 43 | LSC 93 150 | GAB 32 150** |
| 175 | 84 | 45 | LSC 93 175 | GAB 32 175 |
| 195 | 87 | 48 | LSC 93 195 | GAB 32 195 |
| 215 | 91 | 50 | LSC 93 215 | GAB 32 215 |
| 235 | 94 | 51 | LSC 93 235 | GAB 32 235 |
| 255 | 96 | 53 | LSC 93 255 | GAB 32 255 |
| 280 | 98 | 55 | LSC 93 280 | GAB 32 280 |
| 300 | 101 | 56 | LSC 93 300 | GAB 32 300 |
| 320 | 103 | 57 | LSC 93 320 | GAB 32 320 |
| 350 | 106 | 58 | LSC 93 350 | GAB 32 350 |
| 385 | 109 | 60 | LSC 93 385 | GAB 32 385 |
| 415 | 112 | 62 | LSC 93 415 | GAB 32 415 |
| 455 | 116 | 64 | LSC 93 455 | GAB 32 455 |
| 495 | 119 | 66 | LSC 93 495 | GAB 32 495 |
| 540 | 122 | 67 | LSC 93 540 | GAB 32 540 |
| 590 | 127 | 68 | LSC 93 590 | GAB 32 590 |
| 645 | 132 | 69 | LSC 93 645 | GAB 32 645 |

**On demand only.

*The sizers are pre-filled with silicone gel with a smooth envelope. They are delivered sterile, for single-use.

### PROFIL MODÉRÉ
*Moderate profile*

| Vol. (mL) | Base (mm) | Proj. (mm) | Référence | Gabarit /Sizer* |
|---|---|---|---|---|
| 90 | 78 | 26 | LSC 92 090 | GAB 31 090 |
| 110 | 82 | 29 | LSC 92 110 | GAB 31 110 |
| 130 | 86 | 33 | LSC 92 130 | GAB 31 130 |
| 155 | 89 | 34 | LSC 92 155 | GAB 31 155 |
| 175 | 93 | 36 | LSC 92 175 | GAB 31 175 |
| 200 | 97 | 37 | LSC 92 200 | GAB 31 200 |
| 220 | 101 | 39 | LSC 92 220 | GAB 31 220 |
| 240 | 105 | 39 | LSC 92 240 | GAB 31 240 |
| 265 | 107 | 42 | LSC 92 265 | GAB 31 265 |
| 285 | 109 | 43 | LSC 92 285 | GAB 31 285 |
| 310 | 113 | 44 | LSC 92 310 | GAB 31 310 |
| 330 | 117 | 45 | LSC 92 330 | GAB 31 330 |
| 365 | 121 | 46 | LSC 92 365 | GAB 31 365 |
| 395 | 124 | 48 | LSC 92 395 | GAB 31 395 |
| 430 | 126 | 50 | LSC 92 430 | GAB 31 430 |
| 475 | 130 | 51 | LSC 92 475 | GAB 31 475 |
| 520 | 134 | 52 | LSC 92 520 | GAB 31 520 |
| 560 | 137 | 54 | LSC 92 560 | GAB 31 560 |
| 615 | 141 | 57 | LSC 92 615 | GAB 31 615 |
| 670 | 142 | 58 | LSC 92 670 | GAB 31 670 |

**Sur demande uniquement.

*Les gabarits sont pré-remplis de gel de silicone et avec une enveloppe lisse. Ils sont livrés stériles, à usage unique.

# ■ SILIMED (BRAZIL)

## The Sientra Choice

The innovative portfolio of Sientra products seamlessly integrates into your pre-operative planning process. Featuring the internationally recognized and trusted Silimed® brand of plastic surgery products, our product portfolio provides intelligent options that help you create beautiful results across the widest spectrum of patient needs.

It's as simple as Profile, Proportion, and Projection:

Profile
Until now, you have only had one choice in implant profile. Sientra offers more choices by featuring two profile options that support your desired objective for the upper/lower pole and final breast profile. Namely, a round profile and a shaped profile implant for your diverse patient population.

Proportion
While implant selection is central to achieving your aesthetic goals for each patient, the *proportional* relationship of the implant base to the patient chest wall dimension and breast width is paramount in obtaining the desired result.

Until now, the available implant footprint has been limited to "one-shape-fits-all". Only Sientra offers surgeons a choice of three implant footprints.

Our exclusive suite of base options – round, oval, and classic – give you choices you never had before, allowing you to offer your patients a truly customized result.

Projection
We offer low, moderate, and high projections to support your choice and pursuit of a personalized aesthetic result.

With each detail designed for an unrivaled product experience, The Sientra Choice enables you to make sophisticated product decisions.

## Silicone Breast Implants
PRODUCT LINE AT A GLANCE

| Product | | Description | | Page |
|---------|---|------------|---|------|
| **ROUND IMPLANTS** | | | | |
| | Profile:<br>Base:<br>Projection: | Round<br>Round<br>Moderate | | 9 |
| | Profile:<br>Base:<br>Projection: | Round<br>Round<br>High | | 10 |
| | Profile:<br>Base:<br>Projection: | Round<br>Round<br>Low | | 11 |
| | Profile:<br>Base:<br>Projection: | Round<br>Round<br>Moderate | | 12 |
| | Profile:<br>Base:<br>Projection: | Round<br>Round<br>High | | 13 |
| **SHAPED IMPLANTS** | | | | |
| | Profile:<br>Base:<br>Projection: | Shaped<br>Round<br>High | | 15 |
| | Profile:<br>Base:<br>Projection: | Shaped<br>Oval<br>Low | | 16 |
| | Profile:<br>Base:<br>Projection: | Shaped<br>Oval<br>Moderate | | 17 |
| | Profile:<br>Base:<br>Projection: | Shaped<br>Oval<br>High | | 18 |
| | Profile:<br>Base:<br>Projection: | Shaped<br>Classic<br>Moderate | | 19 |

○ = Smooth  ◐ = Textured

sientra.

6

7

## Sientra Round Implants

Providing fullness in the upper portion of the breast, Sientra round implants are designed to offer patients an option for more projection while still providing an individualized result.

• High-Strength cohesive silicone gel

• Low-bleed barrier technology

• Smooth surface

• Proprietary Silimed® Texture Technology

• Unique serial numbers on each implant

Smooth Round
Moderate Projection

SILICONE BREAST IMPLANTS

BREAST EXPANDERS

| WTH cm | PROJ cm | VOL cc | REFERENCE |
|--------|---------|--------|-----------|
| 10.3 | 3.2 | 190 cc | 10512-190MP |
| 10.7 | 3.2 | 210 cc | 10512-210MP |
| 11.1 | 3.2 | 230 cc | 10512-230MP |
| 11.4 | 3.3 | 250 cc | 10512-250MP |
| 11.8 | 3.4 | 270 cc | 10512-270MP |
| 12.0 | 3.6 | 300 cc | 10512-300MP |
| 12.3 | 3.7 | 320 cc | 10512-320MP |
| 12.5 | 3.9 | 350 cc | 10512-350MP |
| 12.8 | 4.1 | 380 cc | 10512-380MP |
| 13.0 | 4.1 | 410 cc | 10512-410MP |
| 13.4 | 4.2 | 440 cc | 10512-440MP |
| 13.7 | 4.3 | 470 cc | 10512-470MP |
| 14.0 | 4.3 | 510 cc | 10512-510MP |
| 14.8 | 4.3 | 550 cc | 10512-550MP |
| 15.4 | 4.4 | 600 cc | 10512-600MP |
| 15.8 | 4.5 | 650 cc | 10512-650MP |
| 16.1 | 4.7 | 700 cc | 10512-700MP |

9

SILICONE BREAST IMPLANTS

BREAST EXPANDERS

## Smooth Round
## High Projection

├─W─┤ ├─P─┤

| WTH cm | PROJ cm | VOL cc | REFERENCE |
|---|---|---|---|
| 9.8 | 3.4 | 185 cc | 10521-185HP |
| 9.9 | 3.7 | 205 cc | 10521-205HP |
| 10.1 | 3.7 | 225 cc | 10521-225HP |
| 10.3 | 3.8 | 245 cc | 10521-245HP |
| 10.8 | 3.9 | 265 cc | 10521-265HP |
| 11.0 | 4.0 | 285 cc | 10521-285HP |
| 11.1 | 4.2 | 315 cc | 10521-315HP |
| 11.3 | 4.4 | 335 cc | 10521-335HP |
| 11.5 | 4.5 | 355 cc | 10521-355HP |
| 11.7 | 4.6 | 375 cc | 10521-375HP |
| 12.0 | 4.6 | 405 cc | 10521-405HP |
| 12.1 | 4.7 | 435 cc | 10521-435HP |
| 12.8 | 4.7 | 465 cc | 10521-465HP |
| 12.9 | 4.8 | 495 cc | 10521-495HP |
| 13.3 | 4.8 | 545 cc | 10521-545HP |
| 13.9 | 4.8 | 595 cc | 10521-595HP |
| 15.1 | 4.9 | 655 cc | 10521-655HP |
| 15.4 | 4.9 | 695 cc | 10521-695HP |

## Textured Round
## Low Projection

├─W─┤ ├─P─┤

| WTH cm | PROJ cm | VOL cc | REFERENCE |
|---|---|---|---|
| 10.5 | 2.5 | 160 cc | 20610-160LP |
| 11.4 | 2.6 | 190 cc | 20610-190LP |
| 12.1 | 2.7 | 220 cc | 20610-220LP |
| 12.3 | 2.8 | 250 cc | 20610-250LP |
| 13.0 | 2.9 | 280 cc | 20610-280LP |
| 13.4 | 3.0 | 310 cc | 20610-310LP |
| 13.7 | 3.1 | 340 cc | 20610-340LP |
| 14.5 | 3.1 | 370 cc | 20610-370LP |
| 14.8 | 3.2 | 400 cc | 20610-400LP |
| 15.4 | 3.2 | 450 cc | 20610-450LP |
| 15.9 | 3.3 | 500 cc | 20610-500LP |
| 16.5 | 3.5 | 550 cc | 20610-550LP |
| 17.0 | 3.7 | 600 cc | 20610-600LP |
| 17.5 | 3.8 | 650 cc | 20610-650LP |
| 17.9 | 3.8 | 700 cc | 20610-700LP |

SILICONE BREAST IMPLANTS

BREAST EXPANDERS

sientra.

## Textured Round
## Moderate Projection

├──W──┤  ├─P─┤

| WTH cm | PROJ cm | VOL cc | REFERENCE |
|---|---|---|---|
| 9.3 | 3.7 | 175 cc | 20621-175MP |
| 9.7 | 3.9 | 195 cc | 20621-195MP |
| 10.0 | 3.9 | 215 cc | 20621-215MP |
| 10.5 | 3.9 | 235 cc | 20621-235MP |
| 11.0 | 3.9 | 255 cc | 20621-255MP |
| 11.4 | 4.0 | 285 cc | 20621-285MP |
| 11.7 | 4.0 | 305 cc | 20621-305MP |
| 11.8 | 4.4 | 325 cc | 20621-325MP |
| 12.1 | 4.4 | 355 cc | 20621-355MP |
| 12.5 | 4.5 | 385 cc | 20621-385MP |
| 13.2 | 4.6 | 435 cc | 20621-435MP |
| 13.6 | 4.8 | 485 cc | 20621-485MP |
| 13.8 | 5.0 | 525 cc | 20621-525MP |
| 14.1 | 5.2 | 575 cc | 20621-575MP |
| 14.6 | 5.3 | 625 cc | 20621-625MP |
| 15.1 | 5.5 | 695 cc | 20621-695MP |

## Textured Round
## High Projection

├──W──┤  ├─P─┤

| WTH cm | PROJ cm | VOL cc | REFERENCE |
|---|---|---|---|
| 9.6 | 4.0 | 190 cc | 20621-190HP |
| 9.9 | 4.1 | 205 cc | 20621-205HP |
| 10.2 | 4.2 | 225 cc | 20621-225HP |
| 10.5 | 4.3 | 240 cc | 20621-240HP |
| 10.8 | 4.4 | 255 cc | 20621-265HP |
| 11.1 | 4.5 | 280 cc | 20621-280HP |
| 11.4 | 4.6 | 300 cc | 20621-300HP |
| 11.7 | 4.7 | 330 cc | 20621-330HP |
| 12.0 | 4.8 | 350 cc | 20621-350HP |
| 12.3 | 4.9 | 385 cc | 20621-385HP |
| 12.5 | 5.0 | 415 cc | 20621-415HP |
| 12.8 | 5.1 | 440 cc | 20621-440HP |
| 13.4 | 5.3 | 505 cc | 20621-505HP |
| 14.0 | 5.5 | 565 cc | 20621-565HP |

12  sientra.

13

207

## Sientra Shaped Implants

Featuring a natural sloped profile and inferior pole projection, Sientra shaped implants offer more opportunities for a customized fit with a variety of widths, heights, and projections.

**Features:**

- 3 base shapes: Round, Oval, and Classic
- High-Strength cohesive silicone gel
- Signature Orientation Line and Dot to demarcate the point of maximum projection
- Proprietary Silimed® Texture Technology
- Designed to maintain its desired shape without compromising softness
- Low-bleed barrier technology
- Unique serial numbers on each implant

Textured Shaped Round Base
High Projection

| WTH cm | PROJ cm | VOL cc | REFERENCE |
|---|---|---|---|
| 9.8 | 4.9 | 200 cc | 20646-200RB |
| 9.9 | 5.0 | 220 cc | 20646-220RB |
| 10.1 | 5.1 | 235 cc | 20646-235RB |
| 10.4 | 5.2 | 255 cc | 20646-255RB |
| 10.7 | 5.3 | 270 cc | 20646-270RB |
| 11.3 | 5.5 | 320 cc | 20646-320RB |
| 11.9 | 5.7 | 370 cc | 20646-370RB |
| 12.5 | 5.8 | 425 cc | 20646-425RB |

SILICONE BREAST IMPLANTS

BREAST EXPANDERS

15

## Textured Shaped Oval Base
## Low Projection

| WTH cm | HT cm | PROJ. cm | VOL. cc | REFERENCE |
|---|---|---|---|---|
| 11.3 | 9.8 | 2.8 | 170 cc | 20645-170LP |
| 12.3 | 10.6 | 3.1 | 220 cc | 20645-220LP |
| 13.3 | 11.1 | 3.3 | 270 cc | 20645-270LP |
| 14.3 | 12.1 | 3.5 | 320 cc | 20645-320LP |
| 15.4 | 13.1 | 3.7 | 410 cc | 20645-410LP |
| 16.3 | 13.8 | 4.1 | 500 cc | 20645-500LP |

## Textured Shaped Oval Base
## Moderate Projection

| WTH cm | HT cm | PROJ. cm | VOL. cc | REFERENCE |
|---|---|---|---|---|
| 10.0 | 8.9 | 3.9 | 180 cc | 20645-180MP |
| 11.0 | 9.6 | 4.0 | 210 cc | 20645-210MP |
| 12.0 | 10.3 | 4.2 | 250 cc | 20645-250MP |
| 12.3 | 10.7 | 4.5 | 290 cc | 20645-290MP |
| 13.0 | 11.2 | 4.5 | 330 cc | 20645-330MP |
| 13.4 | 11.4 | 4.7 | 370 cc | 20645-370MP |
| 13.7 | 11.8 | 4.9 | 400 cc | 20645-400MP |
| 14.1 | 12.2 | 5.1 | 450 cc | 20645-450MP |
| 14.7 | 12.8 | 5.3 | 500 cc | 20645-500MP |
| 15.2 | 13.1 | 5.4 | 550 cc | 20645-550MP |
| 16.0 | 13.8 | 5.5 | 600 cc | 20645-600MP |
| 16.6 | 14.3 | 5.7 | 650 cc | 20645-650MP |
| 16.9 | 14.5 | 5.9 | 700 cc | 20645-700MP |

SILICONE BREAST IMPLANTS

BREAST EXPANDERS

16

sientra.

17

209

## Textured Shaped Oval Base
## High Projection

| WTH cm | HT cm | PROJ cm | VOL cc | REFERENCE |
|--------|-------|---------|--------|-----------|
| 9.8 | 8.3 | 4.3 | 180 cc | 20645-180HP |
| 10.5 | 8.9 | 4.7 | 240 cc | 20645-240HP |
| 11.4 | 10.1 | 5.0 | 300 cc | 20645-300HP |
| 12.5 | 10.8 | 5.3 | 370 cc | 20645-370HP |
| 13.5 | 11.5 | 5.7 | 480 cc | 20645-480HP |
| 14.6 | 12.4 | 5.8 | 550 cc | 20645-550HP |

## Textured Shaped Classic Base
## Moderate Projection

| WTH cm | HT cm | PROJ cm | VOL cc | REFERENCE |
|--------|-------|---------|--------|-----------|
| 9.5 | 10.5 | 3.6 | 180 cc | 20676-180E |
| 10.0 | 11.0 | 3.8 | 210 cc | 20676-210E |
| 10.5 | 11.5 | 4.0 | 240 cc | 20676-240E |
| 11.0 | 12.0 | 4.2 | 275 cc | 20676-275E |
| 11.5 | 12.5 | 4.4 | 310 cc | 20676-310E |
| 12.0 | 13.0 | 4.6 | 350 cc | 20676-350E |
| 12.5 | 13.5 | 4.8 | 400 cc | 20676-400E |
| 13.0 | 14.0 | 5.0 | 450 cc | 20676-450E |

# ▌BellaGel (KOREA)

BellaGel Micro

## 벨라젤은 환자의 가슴 벅찬 감동을 위해 리얼한 촉감과 우수한 안전성을 약속합니다

마이크로 텍스쳐 타입의 '**벨라젤 마이크로**'는 부드러운 외피와 질감으로
수술 후 **자연스러운 촉감과 움직임에 따른 실루엣을 연출**합니다.

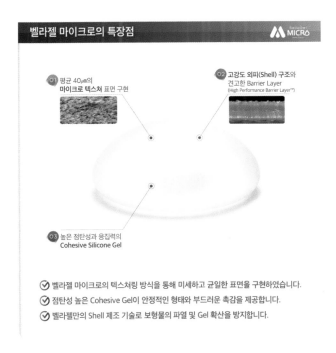

벨라젤 마이크로의 특장점

01 평균 40㎛의
**마이크로 텍스쳐** 표면 구현

02 고강도 외피(Shell) 구조와
견고한 Barrier Layer
(High Performance Barrier Layer™)

03 높은 점탄성과 응집력의
Cohesive Silicone Gel

✓ 벨라젤 마이크로의 텍스쳐링 방식을 통해 미세하고 균일한 표면을 구현하였습니다.
✓ 점탄성 높은 Cohesive Gel이 안정적인 형태와 부드러운 촉감을 제공합니다.
✓ 벨라젤만의 Shell 제조 기술로 보형물의 파열 및 Gel 확산을 방지합니다.

BellaGel Anatomical

# 벨라젤은 개인별 맞춤 시스템을 통해
# 자연스럽고 균형 잡힌 가슴 형태를 구현합니다

여성의 다양한 체형과 취향을 고려하여 설계된 보형물, '벨라젤 아나토미컬(물방울 형태)'은
자연스러운 윗가슴과 풍만한 볼륨 형태를 가능하게 합니다.

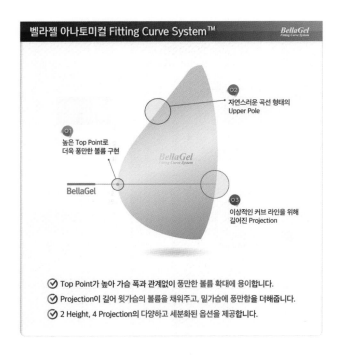

> ⊘ Top Point가 높아 가슴 폭과 관계없이 풍만한 볼륨 확대에 용이합니다.
>
> ⊘ Projection이 길어 윗가슴의 볼륨을 채워주고, 밑가슴에 풍만함을 더해줍니다.
>
> ⊘ 2 Height, 4 Projection의 다양하고 세분화된 옵션을 제공합니다.

BellaGel Type

# 벨라젤은 개인 체형에 어울리는 가슴 곡선을 위해 다양한 보형물과 사이즈를 보유하고 있습니다

**벨라젤**은 다양한 형태(Round, Anatomical)와 질감(Smooth, Textured, Microtextured)을 보유하고 있어 **개인 체형에 어울리는 적합한 가슴 라인**을 디자인하는 데 효과적입니다.

## 벨라젤 Type

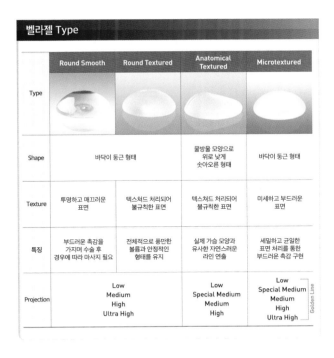

| | Round Smooth | Round Textured | Anatomical Textured | Microtextured |
|---|---|---|---|---|
| Type | | | | |
| Shape | 바닥이 둥근 형태 | | 물방울 모양으로 위로 낮게 솟아오른 형태 | 바닥이 둥근 형태 |
| Texture | 투명하고 매끄러운 표면 | 텍스쳐드 처리되어 불규칙한 표면 | 텍스쳐드 처리되어 불규칙한 표면 | 미세하고 부드러운 표면 |
| 특징 | 부드러운 촉감을 가지며 수술 후 경우에 따라 마사지 필요 | 전체적으로 풍만한 볼륨과 안정적인 형태를 유지 | 실제 가슴 모양과 유사한 자연스러운 라인 연출 | 세밀하고 균일한 표면 처리를 통한 부드러운 촉감 구현 |
| Projection | Low Medium High Ultra High | | Low Special Medium Medium High | Low Special Medium Medium High Ultra High *(Golden Line)* |

# 35
## 약물관리
(Drugs, Pharmaceuticals, Ointments)

### 1 향정신성 의약품

보건소에 신고(보건복지부에 신고)

Charting 필요 의무

약물 장부 기재 의무(보건소에서 불시에 검사 나오기도 함)

Ketamine

Midazolam

Propfol

### 2 정맥 주사 투약용 약물 Vial or Ampule

Mobinul 분비물 감소제 수술시작 약 20분 전 투약

Tranexamic acid 혈액응고를 돕는 약

DEXA (Dexamethsone) steroid 스테로이드 붓기 최소화

214

CEFA (Cefalosporin) antibiotics 항생제

GM (Gentamycin) antibiotics 항생제 그 외

Epinephrine, Lidocaine, Bupivacaine, Metoclopromide (멕소롱), Ondansetron, antihistamine 등

### 3 연고(Ointments)

테라미이신 연고 TM (Terramycin ointment)

마취연고(EMLA cream)

### 4 기타(Others)

Bosmin solution

Benzoic spray

Ethyl Ether (가슴 수술 후 테이프자국 제거용)

### 5 소독액(Disinfectants)

Spray 형태로 하면 면적이 큰 부위 painting 시 편리하다.

$H_2O_2$, Betadine, Alcohol 등

# 36
## 흉터관리
(Scar Management)

흉의 성숙화(maturation) 과정은 평균 1~2년이 걸린다.

최소 6개월은 지나야 성숙화 과정으로 들어간다.

| Minutes | Hours | Days | Weeks | Months |
|---------|-------|------|-------|--------|

**Inflammation**

**Hemostasis**
Platelets
Fibrin clot formation
Vasoactive mediator release
Cytokine and growth factor release

**Inflammation**
Master cells
Platelet-activating mediator release
Vasoactive and chemotacticmediator release

Neutrophils and Monocytes
Chemotaxis, inflammation
Killing and phagocytosing, wound debridment

Macrophages
Chemotaxis, inflammation
Killing and phagocytosing, wound debridment
Cytokines and growth factor release

**Proliferation**

Skin resurfacing
Keratinocytes
Reepithelialization

Dermal restoration
Endothelial cells
Fibroblasts
Angiogenesis
Fibroplasia

**Remodeling**

Keratinocytes
Myofibroblasts
Epidermis maturation
Wound contraction
Apoptosis and scar maturation

Endothelial cells
Apoplosis and scar maturation

## Phases of Wound Healing for Pilonidal Surgery

Inflammation
4-6 Days

The body sends fluids to
the injury site to clean
and prepare for healing

Proliferation
4-60 Days

The healing phase, the body
works to mend the injured
area and grow new tissue

Remodeling
60 Days - 2 Years

New nerve endings grow,
tissue continues to rearrange,
scar regains ability to stretch

217

## 1 흉터제재

### 1) Silicone Sheet

#### ① Cica Care

#### ② Scar Clinic

Areolar Φ7cm

Clear 4x20cm

### 2) Silicone Gel

#### ① Kelocote

② Contratubex

3) Silicone Spray

① Kelocote spray

# 37
## 봉합사 관리
(Suture Materials)

## ∎ SUTURE MATERIAL

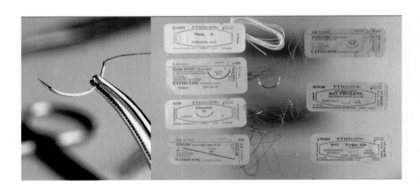

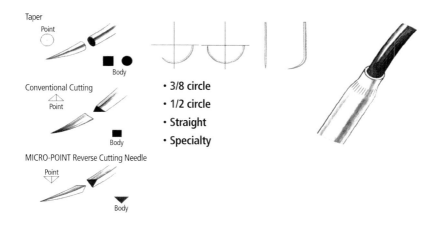

봉합사는 회사명이나 제조업체 manufacturer, 바늘의 종류는, 바늘의 길이, 실의 길이, 봉합사 실의 종류가 표기되어 있다.

바늘은 단면의 모양으로 간단히 symbol로 표기 되어있는 경우가 많다. 즉 round, cutting, reverse cutting, diamond 가 있으며 round는 잘 찢어지는 조직을 봉합할 경우 [ex 안면윤곽수술 후 잇몸(gingiva) 봉합시나 복부성형 술 (abdominoplasty; tummy tuck )할 경우 복벽의 강화를 위해 복직근의 근 막 (rectus abdominis fascia) 봉합 할 경우] 사용할 수 있으나 대체적으로 미용 성형수술에는 round needle은 거의 사용하는 경우가 많지 않다. 심지어 안면 윤곽수술후 잇몸 봉합 시에도 cutting needle이나 diamond needle 이 사용되기 도 한다. 그 이유는 round needle은 사용할 때 금방 날(blade)이 무뎌져(blunt) 본래 뾰족한 (sharp)한 상태가 상실되기 때문이다. 바늘의 호의 크가(size

흡수성(absorbable) [ex Surgifit, Vicryl, PDS] VS 비흡수성(nonabsorbable) [ex nylon, black silk]

Monofilament [ex Nlyon, PDS] VS Multifilament [ex chromic, Vicryl]

Natural [ex catgut, chromic] VS Synthetic [ex Nylon]

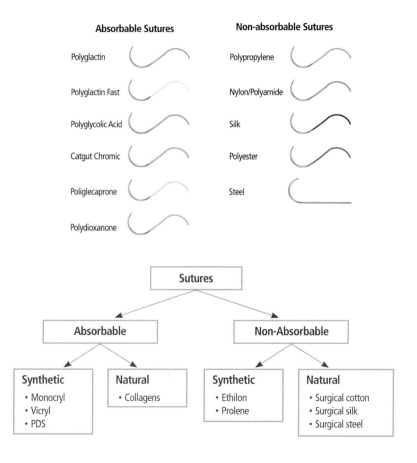

# ■ PARTIAL LISTING COMMON SUTURE TYPES

| Suture Type | Absorbable | Non-absorbable | Monofilament | Multifilament |
|---|:---:|:---:|:---:|:---:|
| Chromic Gut (Ethicon) (kendall) | ● | | | ● |
| Vicryl (Ethicon) | ● | | | ● |
| PDS (Ethicon) | ● | | ● | |
| Monocryl (Ethicon) | ● | | ● | |
| Nylon (Ethicon) (kendall) | | ● | ● | |
| Prolene (Ethicon) | | ● | ● | |
| Vetafil | | ● | | ● |
| Dexon (kendall) | ● | | | ● |
| Polysorb (kendall) | ● | | | ● |
| Biosyn (kendall) | ● | | ● | |
| Maxon (kendall) | ● | | ● | |
| Surgilene (kendall) | | ● | ● | |
| Novatil (kendall) | | ● | ● | |
| Silk (Ethicon) (kendall) | | ● | | ● |

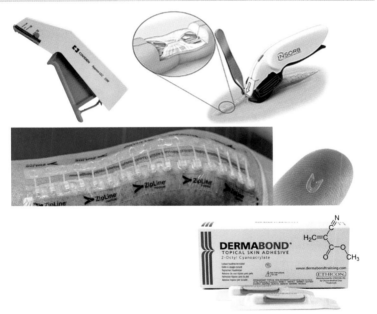

Medical Glue로 Dermabond, Collodion이 있다.

# 소독제관리
(Disinfection Solutions)

## ▌ DISINFECTANTS

1. Alcohols

2. Hydrogen peroxide, $H_2O_2$

3. Povidone

4. Silver dressing

5. Zepanon

6. Hibisol

7. Boric

8. Medilox

## 1   Alcohols

- 그람 양성균과 그람 음성균을 비롯하여 tubercle bacillus 에 이르기까지 광범위한 항균력을 갖는다.
- 세균의 단백질 성분을 변성시키는 기전으로 항균 작용을 나타낸다.
- 포자(spore)를 파괴시키는 작용은 없지만 많은 진균류에 대해 항균력을 가지며, cytomegalovirus와 human immunodeficiency virus 등의 바이러스에도 작용한다.
- 1분간 알코올로 세척한 효과가 다른 소독제로 4~7분간 소독한 효과와 비슷하다.
- 알코올로 3분간 세척시 20분간 scrubbing 한 효과이다.
- 1분 내에는 별 효과가 없었으며 3분이 경과하여야 균주의 감소를 보이고 24시간이 지나면 항균력이 없어진다고 하였다.
- ethyl (ethanol)과 isopropyl (isopropanol)의 형태가 있으며 효력을 결정하는 가장 중요한 요소는 물에 포함된 알코올의 농도이다.
- ethanol의 경우는 70% 농도가 가장 효과적이며 그 이상의 농도에서는 효력이 감소하는 것으로 보고되고 있고, isopropanol의 경우는 70% 이상의 농도에서도 항균력이 좋아 70%~100% 의 농도로 쓰인다.
- isopropanol은 도포된 피부부위에 혈관확장을 야기하므로 정맥주사나 피부절개시 ethanol 소독에 비해 더 많은 출혈이 있다.

## 2   Hydrogen peroxide, $H_2O_2$

- 벤조일 퍼옥사이드(benzoyl peroxide), 과망간산칼륨(potassium permanganate) 등과 함께 산화제에 속하는 소독약제로 쓰인다.

- 호기성(aerobic) 미생물 뿐만 아니라 혐기성(anaerobic) 미생물에도 광범위한 살균작용
- 1881년 테나르드(Thenard)에 의하여 발견
- 초고온 단시간 방법에 의하여 살균된 우유(135~150℃, 0.5~15초)를 무균적으로 충진시킬 때 종이 용기의 안쪽면을 살균하거나 실내공간의 살균에도 사용
- 초산 냄새를 가진 약산의 무색 투명한 액체이지만 시판되는 제품은 2.5~3.5%의 과산화수소를 함유
- 조직에 접촉하면 즉시 발생기 산소를 유리시켜 발포작용에 의해 상처의 표면을 소독
- 자극성이 적어서 보통 4~5배로 희석하여 구강이나 상처 표면의 소독에 사용되고 3~10배로 희석하여 기구세척 등에 이용될 뿐만 아니라 식품의 살균이나 보존, 표백제 및 모발 등의 탈색제로 사용된다.
- 과산화수소는 세균, 바이러스, 진균 등에 대해 광범위한 살균작용을 나타내지만 단시간 내에 그 효과를 기대하기 위해서는 고농도를 필요로 한다. 3% 과산화수소 용액의 경우 효모나 일부 바이러스에 빠른 살균작용을 하지 못하며 포자(bacterial spore)에 대해서는 더욱 그러하다.
- 다량의 세균포자를 단시간에 살균하기 위해서는 고온, 고농도의 과산화수소를 이용하여 살균하여야 한다. 또한 과산화수소는 그람 양성균보다는 그람 음성균에 더 효과적이며 페놀이나 다른 유기산 제재에 비해 수소이온농도(pH)에 영향을 적게 받는다.

### 3 Povidone

- Iodine은 1:20,000 의 농도로는 거의 모든 박테리아를 1분내에 죽일 수 있고 그 아포는 15분내에 죽일 수 있으며 그람 양성균, 음성균, 결핵균, 진균, 바이러스 및 일부 아포에 폭넓게 작용한다.

- Iodine 물질이 물에 녹으면서 유리 Iodine이 발생되고 이때 살균 작용

- 세균막을 통과하여 산화시키고 세균벽을 Iodine 이온으로 대체하여 세균 세포를 파괴하며 특히 단백질(methionine, cysteine), 핵산, 지방산을 공격

- 바이러스의 살균 기전은 알려져 있지 않으나 주로 지질계 바이러스에 강하고 비지질계 바이러스나 parvovirus에 더 민감한 것으로 알려져 있는데 이는 바이러스를 싸고 있는 지질막의 표면 단백질을 공격해 불안정해지기 때문으로 보인다.

- Iodine이 나오기 위해서는 2분이상 접촉 시간이 필요하다.

- Iodine은 광선에 약한 피부나 어린이에게 과민성 피부염을 일으키며 착색을 일으키고 피부나 점막을 타고 들어가 과 Iodine 혈증을 일으켜 신생아에서 저 갑상선 혈증을 일으킨 례가 있었다. Iodine tincture (요오드팅크, 옥도정기)는 1~2%의 Iodine 을 포함하는 것이 보통이며 마른 다음 70% 의 알코올로 닦아내야만 피부염을 방지할 수 있다.

- 포비돈(포타딘 혹은 베타딘)은 iodine이 약물전달체(carrier)와 결합한 형태인 iodophor의 일종으로 iodophor 중 가장 널리 사용되는 소독제이다. 포비돈에서 iodine과 결합하는 약물전달체가 바로 povidone (polyvinylpyrrolidone)이기 때문에 이런 이름으로 상품화되어 사용되고 있다. 포비돈과 같은 iodine화합물질은 Iodine 단독 사용에 비해 Iodine의 용해도를 상승시키고 유리작용을 지연시켜 Iodine 의 소독효과를 증

가시킨다. 눈이나 점막에도 자극이 적으며 착색현상도 드물고 알러지성 반응도 훨씬 적은 것으로 알려져 있으나 도포즉시의 살균기능이 떨어지고 아포에 대한 효과는 전혀 없는 것이 단점이다. 우리가 사용하는 surgical scrub 제가 대표적인 포비돈 제제이며 10% 용액으로 1%의 free Iodine 을 포함하도록 만들어졌다.

- 최근에는 착색이나 작렬감등의 문제로 요오드팅크보다는 포비돈을 사용하는 추세이다.

## 4　은 소독(Silver dressing)

- 종류에는 크림제제(silvadine), 필름제제(Arglaes), 직물제제(Silverlon) 매쉬제제(Acticoat-7), 폼제제(Contreet-H), 활성탄제제(Actisorb Silver 220) 등이 있다.
- 소독제제의 작용기전은 그림과 같이 은 이온이 세균벽의 대사에 독성을 가지고 있어서 세균벽 및 세균막의 투과성에 변화를 일으킨다
- 최근에는 nano technology의 발달로 은입자의 크기를 1.5~150 nm 정도로 작게 제조한 나노 은 소독제가 상품화되어 사용되고 있다. 나노 은 소독제제는 항균 장벽으로 작용하며 균교대 감염을 감소시켜 다제 내성 포도상 구균에 의해 감염된 욕창 치료에 사용된다.
- 은 소독제제의 부작용으로 은 중독(argyria), 일시적인 피부착색, 통증 등이 알려져 있다.

## 5 ZEPANON Benzethonium chloride

- 멸균증류수 1L + 염화벤잘코늄 10cc mix
  10cc주사기로 염화벤잘코늄10cc를 잰후 멸균증류수 1L에 넣어 혼합,
  멸균된 cotton ball에 적신 후 사용

- MRSA (methicillin-resistant Staphylococcus aureus), Salmonella, Escherichia coli, Clostridium difficile, hepatitis B virus, hepatitis C virus, herpes simplex virus (HSV), human immunodeficiency virus (HIV), respiratory syncytial virus (RSV), and norovirus 에 탁월한 효과
  피부소독제, 방부제, 보존제, 손 세정제, 점안제, 항균 수건, 바닥 청소제, 수술 도구 소독제, 등으로 사용되며 과산화수소나 에탄올 소독제와 다르게 상처 부위에 자극을 주지않고 소독할 수있는 장점이 있다

- Benzethonium chloride exhibits a broad spectrum of microbiocidal activity against bacteria, fungi, mold and viruses.

- Salanine, BZT, Diapp, Quatrachlor, Polymine D, Phemithyn, Antiseptol, Disilyn, Phermerol, and others. It is also found in several grapefruit seed extract preparationsand can be used as a preservative, such as in the anaesthetic Ketamine

### 6 　히비졸 히비탄(Hibisol)

- Chlorhexidine
- chlorhexidine gluconate (CHG)
- Gram (+) Gram(-) 모두 효과적이다.
- 특히 Gram (+) 세균에 소량으로도 효과적이다($\geq$ 1 µg/l).
- 그러나 Gram (-) 세균 및 진균(fungi)에는 조금 더 고농도에서 작용한다 (10 ~73 µg/ml 이상).
- 폴리오 바이러스나 polioviruses 아데노 바이러스 adenoviruses 에는 효과 없다 매독균에는 herpes viruses 효과가 증명된게 없다.

### 7 　붕산(Boric)

- 멸균증류수 1L + 붕산 20g mix
- 가장 약한 소독약품으로 연조직의 상처소독, 안과 드레싱에 사용
- 보통 1~2주일 사용
- 매우 옅은 농도로 안구세척으로 사용, 질염(bacterial vaginosis, candida vaginosis) 질세척제로 사용, 여드름(acne vulgaris)치료, 무좀 방지용으로 양말에 넣기도, 중이염치료에도 사용 가능(인간 혹은 동물)
- 비의료용 용도는 바퀴벌레 박멸에 탁월함

 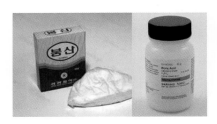

## 8 Medilox

- suction catheter, air way, nasal cannula 등을 사용 후 깨끗한 흐르는물로 먼저 이물질을 세척한 후, 원액 그대로 용액에 푹 담근후, 5~20분후 흐르는 물로 세척한 후 물기없이 잘 말려서 사용
- 65도 이하에서만 사용, 고무제품 및 철금속제품 재질은 기구의 부식 및 손상방지를 위하여 피살균물을 30분 이상 침적 삼가
- 그린덱스&메디록스 두성분 모두 candida 까지 살균되고, 그린덱스가 조금더 저렴
- Medilox, 차아염소산(Hypochlorous acid, HOCl)
- 살균효과 S.aureus, E. coli, E. faefaclis, P. aeruginosa, MRSA, Salmonella sp, Shigella sp, C. albicans, Mycobacteria tuberculosis
- 내시경, 인공투석기, instrument, catheter, tubes, incubators
- 수술실 바닥, 벽, 공기 살균

# ■ STATE OF THE ART CUTTING EDGE OF PLASTIC SURGERY

- AESCULAP SAW AND DRILL SYSTEM

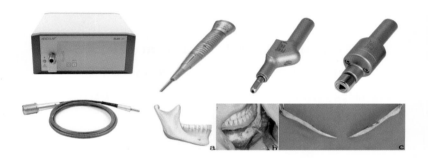

- STRYKER SAW AND DRILL SYSTEM

- NSK SAW AND DRILL SYSTEM

- VEIN VIEWER FLEX

- VEIN VIEWER VEINLITE

- MAGNETIC SURGICAL MATS

- SONY HEAD MOUNT DISPLAY FORMICROSCOPE OR ENDOSCOPE

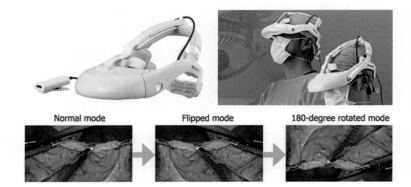

- WEARABLE CHAIR EXOSKELETON

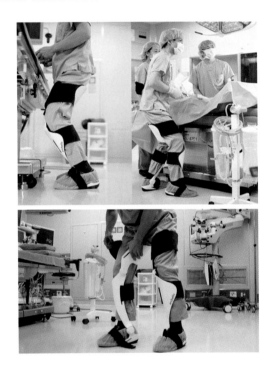